Iniciações de Luz
dos Pleiadianos

Christine Day

Iniciações de Luz dos Pleiadianos

O Despertar Energético para a Cura e Comunicação com o Eu Divino

Tradução
Denise de C. Rocha Delela

Revisão Técnica
Nádia Ruth de Seixas Brito

Editora
Pensamento
SÃO PAULO

Título original: *Pleiadian Initiations of Light*.
Copyright © 2010 Christine Day.
Copyright da edição brasileira © 2011 Editora Pensamento-Cultrix Ltda.
1ª edição 2011.
8ª reimpressão 2023.
Publicado originalmente em inglês por Career Press, Inc., 3 Tice Rd., Franklin Lakes, NJ 07417 USA

Todos os direitos reservados. Nenhuma parte deste livro pode ser reproduzida ou usada de qualquer forma ou por qualquer meio, eletrônico ou mecânico, inclusive fotocópias, gravações ou sistema de armazenamento em banco de dados, sem permissão por escrito, exceto nos casos de trechos curtos citados em resenhas críticas ou artigos de revistas.

A Editora Pensamento não se responsabiliza por eventuais mudanças ocorridas nos endereços convencionais ou eletrônicos citados neste livro.

Ilustrações: Lisa Glynn
Coordenação Editorial: Denise de C. Rocha Delela e Roseli de Sousa Ferraz
Revisão: Nilza Agua
Diagramação: Fama Editoração Eletrônica

Dados Internacionais de Catalogação na Publicação (CIP)
(Câmara Brasileira do Livro, SP, Brasil)

Day, Christine
    Iniciações de Luz dos Pleiadianos : o despertar energético para a cura e comunicação com o Eu Divino / Christine Day ; tradução Denise de C. Rocha Delela ; revisão técnica Nádia Ruth de Seixas Brito. — São Paulo : Pensamento, 2011.

    Título original: Pleiadian initiations of light.
    ISBN 978-85-315-1744-0
    1. Cura — Miscelânea 2. Espiritualidade — Miscelânea 3. Plêiades — Miscelânea I. Título.

11-06958   CDD-299.93

Índices para catálogo sistemático:
1. Luz dos Pleiadianos : Religião 299.93

Direitos de tradução para o Brasil
adquiridos com exclusividade pela
EDITORA PENSAMENTO-CULTRIX LTDA.
Rua Dr. Mário Vicente, 368 — 04270-000 — São Paulo, SP
Fone: (11) 2066-9000
E-mail: atendimento@editorapensamento.com.br
http://www.editorapensamento.com.br
que se reserva a propriedade literária desta tradução.
Foi feito o depósito legal.

Para minhas quatro netas,

Cienna,

Bailee,

Sailor

e

Evie,

por toda alegria e amor
que vocês trazem
ao meu coração.

Nota do Editor

Cada capítulo de *Iniciações de Luz dos Pleiadianos* corresponde a uma faixa gravada no site de Christine Day. Acesse os arquivos de áudio deste livro no endereço eletrônico:

http://www.christinedayonline.com/audio-files/pleiadian-principles-audio-portugese-cds

Agradecimentos

Quero começar exprimindo o meu profundo agradecimento pela orientação, apoio e amizade da minha agente, Laurie Harper, que acreditou neste livro desde a primeira leitura; obrigada por sua competência, honestidade e dedicação à visão desta obra. Agradeço a Briah Anson por ter chamado a atenção de Laurie para o meu livro.

Pelos anos de amizade e profunda ligação entre nós, todo o meu amor e agradecimento a Michael Bradley pela gravação e edição de meus CDs, por todas as gravações ao longo dos anos, e por toda a dedicação e comprometimento que demonstrou por mim e por esta obra.

Meu afeto e gratidão a Lynne Bradley, pela nossa amizade, e por todo amor e apoio que me deu.

Quero agradecer à minha admirável filha, Lisa Glynn, pelo amor e apoio realmente incríveis ao longo dos anos, e pelo trabalho que fez com os diagramas e desenhos deste livro. Meu amor e respeito absolutos por você e sua jornada, minha querida filha.

Um agradecimento especial a Efren Solanas por sua amizade, amor e estímulo ao longo dos anos.

Aos meus mais queridos e estimados amigos Jo Bray, Lorelee Wederstrom, Ruth Palmer e Susam Arthur, por fazerem parte da minha família e pelo seu apoio, amor e ajuda ao longo do caminho.

Meu muito obrigada aos praticantes, professores e a todos os meus alunos das Frequências de Brilho, que me sustentaram com muito amor e apoio ao longo dessa jornada de escrever um livro.

E eu termino aqui com meus sinceros agradecimentos ao amor da minha vida, Alisa, que tem permanecido ao meu lado durante todo esse processo e sem cujo apoio incrível este livro não teria sido possível. Por sua presença em minha vida e no meu coração, e por manter uma energia que nos permite viver o "céu na Terra", enquanto estamos juntas neste planeta.

Sumário

Prefácio da Edição Brasileira 11

Prefácio.. 17

Introdução... 29

Minha História 37

Trabalhando com a Criança Interior 66

A Iniciação Pleiadiana 73

Capítulo 1: Conectando-se com o Coração........................... 81

Capítulo 2: Soltando... 90

Capítulo 3: Trabalho de Formação....................................... 99

Capítulo 4: Eu Sou 120

Capítulo 5: Seja Feita a Tua Vontade.................................... 129

Capítulo 6: O Perdão do Self, a Ressurreição do Self............. 138

Capítulo 7: Jornada com os Pleiadianos, Dentro da Câmara
do Portal das Estrelas 149
Capítulo 8: Manifestando-se por meio do Coração Sagrado.. 157
Capítulo 9: Expandindo a sua Iniciação até o Interior
da Energia da Pirâmide Sagrada, Dentro da Formação 171
Capítulo 10: Pertencendo ao Todo, à Unidade 178
Capítulo 11: Cura Física por meio das Células..................... 185
Capítulo 12: Trabalho com o Casulo..................................... 198
Conclusão.. 212
Apêndice: Sobre o Trabalho... 219

Prefácio da Edição Brasileira

Este livro que você tem nas mãos pode revolucionar a sua vida. Sei que muitos prefácios começam dessa maneira pretensiosa, tentando cativar o leitor de qualquer maneira. E, ainda assim, sou obrigado a começar assim, porque este livro é completamente diferente de qualquer outro, uma vez que seu potencial para cura e transformação é ilimitado. A autora, Christine Day, minha querida mestra e amiga, passou, desde tenra infância, por sofrimentos indizíveis. Superou-os, graças à sua força e à ajuda espiritual que sempre teve. Agora compartilha conosco seus conhecimentos e sua sabedoria, típicos daqueles que mergulharam no fundo do poço e voltaram.

Vivemos uma época de imensa transformação. Todos podem perceber que a crise pela qual passa a humanidade é sem precedentes, pelo menos na História conhecida pela maioria. Muitos Seres estão presentes, observando o que se passa com a Terra e seus habitantes. Alguns deles são de imensa evolução espiritual e não estão aqui somente para observar e sim porque têm o compromisso de nos ajudar neste momento crítico. Exatamente por serem seres de muita evolução, jamais desrespeitam nosso livre-arbítrio. Estão prontos para nos ajudar <u>se</u> e <u>quando</u> damos permissão. Estou aqui me referindo especificamente aos Pleiadianos, seres que vivenciam constantemente o Amor Incondicional. Christine Day divide com eles a autoria deste livro.

Tenho consciência de que existem outros livros com a mensagem pleiadiana. Hoje em dia, muitas pessoas canalizam mensagens de seres de outras dimensões. E, mesmo assim, este livro é singular e completamente diferenciado dos demais do gênero. A razão para tanto é a precisão que aqui temos. Não se trata de bonitas mensagens filosóficas, com algum grau de canalização autêntica e algum grau de interferência por parte do ser humano que canaliza a mensagem. Christine Day canaliza os Pleiadianos durante 24 horas por dia, com uma integridade e precisão que constituem todo o diferencial de que necessitamos. A própria Christine é uma Pleiadiana em missão aqui na Terra.

As instruções que se encontram neste livro são muito práticas. São receitas simples e fáceis, que vêm diretamente dos Pleiadianos para nós, neste momento de nossa evolução. Não há mistificação. Qualquer pessoa que experimente honestamente essas técnicas alcançará resultados surpreendentes. E quanto mais persistir nessas práticas, mais irá se aprofundar em sua cura e libertação. Sem limites. É disso que se trata, acreditando-se ou não em Pleiadianos, ou extraterrestres. Temos aqui ferramentas simples e acessíveis a todos, e que funcionam. Neste sentido, pouco importa a origem. Eu digo que a origem é pleiadiana, não só porque acredito em Christine, mas

Prefácio

porque sinto essa verdade em meu coração, e minha mente reconhece que nenhum ser humano seria capaz de criar essas técnicas geniais. Há algo diferente aqui. Aparentemente é tudo muito simples e, no entanto, abre-se uma janela, e é uma janela interdimensional.

Eu já era um buscador muito antes de conhecer Christine Day. Viajei por vários países, percorri muitos caminhos. Tudo o que diz respeito ao desenvolvimento psicoespiritual sempre me interessou, ou melhor, me fascinou, e assim continua sendo. No decorrer dessa jornada me tornei um devoto de Sai Baba, o Avatar de nossa época. E tenho certeza de que foi Ele que me conduziu a Christine Day, no momento certo, quando eu já estava preparado. As circunstâncias que me levaram a conhecê-la foram muito interessantes, complexas e mágicas, configurando exatamente o que Jung definiu como "sincronicidade".

Eu não sabia que era o primeiro brasileiro a fazer o curso de Frequências de Brilho quando entrei no salão de trabalho daquela fazenda, na fronteira da Holanda com a Alemanha, em 2002. Eu não sabia de nada. Entrei no salão, e aquela mulher de olhos azuis penetrantes me recebeu de braços abertos. Abraçou-me efusivamente, como se há muito nos conhecêssemos. E, na verdade, talvez assim fosse. Ali se iniciou uma grande aventura, que prossegue até hoje. Avistei no salão, no altar improvisado, o retrato de Sai Baba, e isso me tranquilizou, porque eu estava completamente inseguro. Nada sabia daquela mulher ou daquele sistema; para lá havia sido conduzido por uma força não racional.

O curso foi se desenrolando normalmente, exceto que, nas partilhas, meus colegas relatavam experiências extraordinárias. Eu mesmo notei que estava tendo sonhos muito fortes, impactantes. E, num dado momento, quando menos esperava, num determinado ponto, o tempo... parou. Algo se abriu e nunca mais tornou a se fechar, embora minha compreensão desse fato venha acontecendo gradualmente. Claro que minha mente fez e faz tudo para desmerecer a experiência, para subestimá-la. Mas meu coração conhece a verdade. Esse é um dos ensinamentos dos Pleiadianos. Não dê tanta importância à mente, ouça o coração. O coração tem a passagem secreta para outras dimensões, onde estão as respostas de que necessitamos. Eu já sabia disso, mas era um conhecimento teórico. Com Christine e as Frequências de Brilho, meu coração se tornou de fato o comandante de minha vida. O psicólogo foi cedendo espaço ao poeta, e graças a isso me tornei um psicólogo muito melhor e um ser humano muito melhor.

Convidei Christine para vir ao Brasil e ela concordou imediatamente. Depois fiquei inseguro, sem saber se daria certo. Como conseguir alunos suficientes para um curso residencial de duas semanas de duração? Ninguém tinha ouvido falar de Frequências de Brilho. Fiz uma palestra a respeito. Apesar de quase não ter divulgado, vieram cinquenta pessoas. Enquanto eu falava sobre as coisas extraordinárias que ocorreram comigo durante o curso, talvez tenham sido poucos os que perceberam do que se tratava. Porém, ao final de minha partilha, coloquei um CD com uma Transmissão de Christine. Foi esse o fator determinante! Aquela energia ficou acessível, palpável, como ficará para o leitor que experimente os exercícios indicados neste livro. Não houve a menor dificuldade para preencher o número máximo de vagas que o curso admitia.

Desde então, nesses oito anos, o Brasil se tornou o principal centro de Frequências de Brilho no mundo. Os cursos e Transmissões de Christine Day são sempre muito concorridos. O Brasil, país que tem forma de coração, tem muito mais abertura para as dimensões não materiais que outros países. O que me alimenta é observar que estamos trazendo esperança. Percebo que muitas pessoas estavam só esperando por essa energia. A esperança que trazemos não é vã, não é ilusória. Estamos oferecendo algo que é real, embora a mente sempre questione, porque essa é sua característica. Eu costumo dizer que, se descer uma nave na nossa frente, dela sair Jesus em pessoa e tivermos uma profunda experiência mística, nos levando a chorar profundamente durante longo tempo, depois que se passarem cinco minutos a mente vai começar a questionar. Vai perguntar: *Será mesmo que aconteceu? Será que não foi outra coisa? Logo comigo... quem sou eu para merecer esse contato?* Depois de uma hora, a mente dirá: *você está imaginando coisas, isso é impossível.* E depois de alguns dias, a mente vai descartar a experiência, vai colocá-la num cantinho, vai nos fazer esquecê-la. Assim é a mente. Cabe a cada um de nós optar entre continuar sendo escravo ou se tornar mestre da própria mente.

Christine Day transformou minha vida e vem transformando a vida de milhares de pessoas. Ela vem se tornando uma das principais mestras da humanidade, nessa época crucial de mudança. Em seus trabalhos, estão presentes Mestres como Jesus, Maria, Sai Baba e outros; Seres de Luz, Anjos, extraterrestres (não somente os Pleiadianos) e Seres da Natureza.

Christine é uma tremenda mestra, mas está muito longe do estereótipo que fazemos de um mestre espiritual. Ela é autêntica ao extremo, chegando a ser chocante. Imprevisível, vive completamente focada no Presente, que é a única realidade. Christine tem total compromisso com sua missão. Doa a quem doer. Ela diz o que tem que dizer, ela faz o que tem que ser feito. E, no entanto, há um amor e uma compaixão tão profundos que podemos aceitar comportamentos em Christine que jamais aceitaríamos em outras pessoas. Ela nos empurra para a Consciência! Os Pleiadianos podem ser duros quando estamos inconscientes, o que, infelizmente, acontece na maior parte do tempo. De fato, esse é o problema! Portanto, esses Seres de pura Luz trazem técnicas para que prestemos atenção, para que possamos acordar do penoso sono da inconsciência. A criatividade dos Pleiadianos para nos despertar não cessa de me surpreender. Eles concebem continuamente obras-primas, joias, sem limite. E nos oferta essas joias.

Recentemente, Christine recebeu o comando de levar a mensagem a um público muito mais vasto. Como sempre faz, ela obedeceu. Mas ocorre que Christine trabalha e produz de uma forma sobre-humana. Ela *canaliza* novos níveis de Frequências de Brilho todos os anos. Ensina pessoalmente vários desses níveis. Forma e inicia professores. Viaja incessantemente pelo mundo, com sua energia plena de vitalidade, que contagia, que emociona. Mesmo com essa atribulada agenda encontrou tempo, possivelmente durante as madrugadas, para canalizar o que os Pleiadianos julgam adequado para a humanidade neste momento. Este livro traz a possibilidade de estender a muito mais gente esses preciosos ensinamentos, essa energia sagrada.

A publicação deste livro é um fato histórico: os extraterrestres estão oferecendo a nós, seres humanos, as ferramentas para nossa libertação. A informação agora está disponível também em português, e ela vai chegar às mãos certas no momento certo, porque os Pleiadianos nunca erram. E Christine Day é um canal maravilhoso que temos, o elo confiável e íntegro de que necessitávamos. Eu celebro e agradeço, com devoção.

Miklos Burger
Psicoterapeuta
Professor internacional de Frequências de Brilho
Organizador de Frequências de Brilho no Brasil

Prefácio

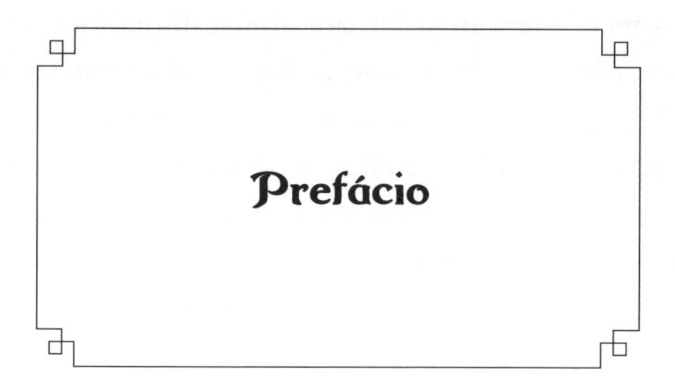

*Saudações. É com grande amor que
apresento este livro a você.*

Nos últimos 22 anos, empreendi uma jornada com os Pleiadianos, em que parti de um lugar sombrio de desespero e cheguei a um lugar de cura física e emocional; de entendimento e conhecimento da minha missão de vida, e de profunda conexão com a luz do Self. As Iniciações dos Pleiadianos tornaram essa transformação possível. Sem eles eu jamais teria conseguido sobreviver e me desenvolver até a vida adulta e chegar a esse lugar de transformação incrível.

Por meio dessa Iniciação profunda fui capaz de me abrir para as conexões de cura com Jesus e Mãe Maria e muitos outros Mestres e Seres de Luz. É também por meio deles que a minha transformação prossegue dia após dia.

Este livro contém as Iniciações que lhe permitirão uma transformação semelhante. Não será idêntica à minha, pois cada um de nós é único e tem uma jornada única de retorno ao Self. Os Pleiadianos me pediram para levar-lhe essas Iniciações para que você também possa se transformar em sua própria luz. Esta obra foi projetada para ajudá-lo a alinhar de maneira mais completa as suas energias e para despertá-lo para o seu Self, de modo que você seja capaz de desempenhar o seu papel na ancoragem da luz no planeta. Muitas mudanças vêm pela frente no nosso plano terrestre. Nosso planeta está sofrendo enormes alterações dimensionais, deixando de ser um planeta tridimensional e passando a ser um planeta de quarta/quinta dimensão.

Deixe-me explicar o que significa dizer que o nosso planeta está numa *consciência tridimensional no momento*. Em todo o nosso planeta há uma forte crença social em nossa limitação e deficiência — naquilo que nos *falta*. Existe um *medo* profundo, que causa uma poderosa luta e um cansaço que permeiam as sociedades. Se você for como a maioria das pessoas, você não está em contato com suas habilidades — sua capacidade natural e ilimitada de criar — e não entende o aspecto divino do Self. Você tem a ilusão de estar *sozinho e separado*, e não tem conhecimento da beleza e da magnificência da sua singularidade individual dentro do Universo. E, na maior parte do planeta, o *tempo* é provavelmente uma das maiores ilusões; a ilusão de que o tempo existe. A *crença no tempo* cria incríveis limitações à realidade. Portanto, esse é um breve resumo da consciência tridimensional a que me refiro.

Consciência da quarta dimensão significa fazer parte de algo maior do que nós. Nenhum de nós está sozinho. Você começa a ter consciência das Energias Espirituais ao seu redor e é capaz de se abrir para o apoio que existe à sua disposição. O medo começa a desaparecer e não controla a sua experiência. Há uma conexão com o seu coração e uma orientação intuitiva que vem até você de um aspecto do Self, por meio dessa conexão. Seu Coração Sagrado começa a trabalhar com você no seu dia a dia, despertando-o para a verdadeira força vital que anima todos os seres vivos e toda a matéria viva. Você começa a entender e vivenciar o seu lugar dentro da Consciência Universal e principia a fluir com a orientação intuitiva do Self. Há um forte sentimento de propósito, e você começa a se sentir apaixonado pela vida. Há uma sensação de liberdade e uma profunda experiência de amor, e você passa a ser nutrido por esse amor, abrindo-se para todos os seres vivos.

Consciência da quinta dimensão é passar para um estado de amor incondicional — um estado de unidade com toda consciência de vida, uma experiência direta de ser uno com a Consciência Universal e um alinhamento consciente e constante com o amor puro da sua essência divina. Você se lembra do seu lugar dentro dessa Consciência Universal e começa a se ligar com o seu potencial ilimitado de criar. Desperta para os seus dons naturais de criatividade, lembrando-se do seu pleno direito inato de manifestar a abundância em todos os níveis e reivindicando seu poder de plena manifestação. Você se lembra de sua missão aqui neste plano terrestre. Não há medo, apenas uma experiência de amor.

Passar de um estado de consciência tridimensional para um estado de quarta ou quinta dimensão é algo poderoso e excitante para todos nós e você tem um papel importante a desempenhar nessa transformação. Se você não se sente parte da Consciência Universal — parte da Unidade — este livro está destinado a abri-lo para essa consciência e para uma conexão direta com o Self. Ele também foi projetado para aprofundar seu alinhamento e levá-lo para novos níveis de Iniciação com você mesmo, o que irá alinhá-lo mais completamente com experiências diretas e profundas conexões com o seu Eu Divino. Você só tem que confiar e seguir a sua orientação. Os capítulos a seguir vão levá-lo ao longo de um processo passo a passo. Os Pleiadianos sustentarão plataformas energéticas para que você se inicie, o que o levará a um alinhamento com a luz do seu Self.

Você pode se perguntar: "O que são plataformas?" As plataformas são como hologramas de energia: puros na forma e completos em si mesmos. Uma plataforma energética é providenciada para cada leitor, à medida que ele trabalha com este livro. Como um espelho, a plataforma é mantida para que você possa incorporar a forma completa do seu Self e se alinhar com ele. Ela é mantida estável para que você possa passar para a vibração do seu Self e vivenciá-la, fluindo na sua própria Iniciação. Esse é o compromisso dos Pleiadianos: sustentar cada pessoa que dá sua permissão para receber esse auxílio. Ela não será ativada a menos que você dê sua permissão. Os Pleiadianos respeitam cada um de nós e o nosso direito de escolha. Deixam que digamos sim hoje e não amanhã, por isso você pode mudar de ideia a qualquer momento.

Quando você toma uma atitude e dá início a esse despertar, você começa a assumir mais plenamente o seu lugar na vida. Com o nascimento do Self, você é capaz de passar a fazer o trabalho que veio fazer aqui no planeta neste momento.

O fato de nos tornarmos mais despertos nos leva a um estado diferente de consciência. Passamos a ter de fato uma vibração diferente em nossas células. Trata-se da frequência do amor, e ela flui naturalmente enquanto vivemos neste mundo. Ela afeta as pessoas à nossa volta e todas as coisas vivas.

Algumas pessoas têm receio de permitir que essas mudanças aconteçam, porque elas não sabem que mudanças vão ocorrer na vida delas. Como as coisas vão mudar? É importante entender que seu livre-arbítrio está intacto e você não terá que fazer nada que não lhe pareça certo. Pode ser que você só vá viver e transmitir essa vibração de amor pelo planeta onde quer que vá. Isso é suficiente; você é suficiente!

Muitos de nós aqui no plano terrestre contribuiremos para a sustentação de espaços e alinhamentos energéticos durante essa época, a fim de que essa transformação do plano terrestre aconteça. Haverá uma ressurreição do nosso planeta — um novo nível de amor ancorado aqui neste nível terrestre. Essa mudança vai abrir o coração das pessoas, ativando um processo de autorrealização e levando todos a fazer novas conexões com a Consciência Universal e com o seu próprio aspecto divino da Unidade. Por causa dessas mudanças que virão, é importante que você esteja mais consciente do papel que está representando aqui agora e tome ciência das conexões com o seu Self. É importante que você se conecte de modo mais consciente com as Energias Espirituais que estão aqui para assisti-lo, à medida que você se alinha cada vez mais com a sua própria luz. Essa conexão consciente a que me refiro é importante porque você escolhe o momento de se alinhar; você escolhe o momento de dar cada passo.

Quando falo em Energias Espirituais, refiro-me aos Seres de Luz: os Anjos e os Mestres de Luz que estão aqui conosco. Eles estão empenhados em nos ajudar com o nosso desenvolvimento e a nossa abertura. E é claro que os Pleiadianos estão ao seu lado para ajudá-lo!

Os Pleiadianos me pediram que escrevesse este livro para ajudar as pessoas a descobrir seu caminho de volta para o seu próprio Self — para ressuscitar o seu Self, alinhando-o com a sua luz —, de modo que também possam ser o seu próprio agente de cura neste plano terreno. À medida que a sua consciência da presença dos Pleiadianos, dos Reinos Espirituais e das Forças da Natureza aumentar, você será capaz de utilizar todos os dons e apoio que estão aqui à sua disposição na jornada do seu nascimento. Os Pleiadianos sustentam um espaço de amor incondicional para você, enquanto faz essa transição, ajudando cada pessoa que pedir o seu auxílio. Quando convocados, os Pleiadianos se empenham em ajudá-lo enquanto você se realinha com a lembrança de quem realmente é no estado ilimitado do seu Self.

Ao se abrir para o seu Self, você se tornará capaz de desempenhar seu papel de maneira mais plena e consciente nessa transição da Terra, porque terá uma consciência maior das energias ao seu redor. O planeta precisa de mais pessoas que vivam nesse estado de conexão consciente com o Espírito*, despertando para a sua própria luz e ancorando conscientemente sua luz no planeta. Quando você assumir seu lugar, poderá representar um papel ativo ajudando a ancorar todas as energias de luz no planeta. À medida que participar dessa maneira, você estará acelerando seu próprio processo de autorrealização, ampliando o seu Coração Sagrado, aprofundando a sua conexão com o Self. Uma ação leva a outra, construindo a sua essência de amor e conexão com o seu lugar dentro da Consciência Universal.

Você estava e ainda está esperando e querendo se sentir profundamente satisfeito dentro do seu Self e se alinhar cada vez mais com ele. Lá no fundo você sabe que está aqui para fazer algo importante, embora não saiba o que é. Neste momento, você não precisa saber os detalhes ou os passos que precisa dar para assumir esse papel. Tudo o que precisa fazer é respirar fundo e se abrir

---

* Quando a autora menciona o termo "Espírito", ela se refere aos Anjos, Mestres e Seres de Luz do Cosmos.

para os processos deste livro. Cada processo irá levá-lo a uma jornada, e cada jornada o levará a ter maior clareza. Isso vai acontecer passo a passo, momento a momento, a cada respiração.

Eu estarei com você enquanto empreende cada passo da Iniciação da sua luz. Você não estará sozinho nessa jornada. Você estará de mãos dadas com outros em um caminho semelhante e juntos vocês vão se alinhar. Muitos serão chamados e muitos já estão despertos e abrindo-se para a sua missão e para o trabalho que vieram fazer aqui.

Você optou por estar aqui no plano terrestre neste momento. É um grande privilégio que você esteja aqui agora. Suas energias únicas são necessárias para apoiar o planeta antes, durante e após a transição. Eu sei que é difícil para você se imaginar ou se ver dessa maneira, mas *você é único. Existe apenas um exemplar de você.* Sua energia única é importante e você é necessário neste momento. É hora de se alinhar com pessoas como você e formar comunidades e trabalhar juntos, apoiando uns aos outros nas transições dos seus Selfs de luz. Ao fazer isso, você apoia a energia aqui no planeta.

É importante fazer parte de uma comunidade, que pode ser composta de duas ou mais pessoas comprometidas com as suas jornadas de despertar; pessoas dispostas a testemunhar o nascimento uma da outra, permitindo que cada pessoa seja tudo o que ela precisa ser em cada momento, e testemunhando o abandono das antigas estruturas do Self, apoiando o nascimento do novo Self desperto.

À medida que passa para um nível mais profundo de despertar, você vai entrando em contato com muitas outras pessoas que estão aqui para apoiá-lo, e que você, por sua vez, vai apoiar. É assim que *as famílias de alma* se reúnem, juntando-se em mútuos despertares.

Você está pronto para isso: não há nada pelo que você tenha que esperar. É a sua hora agora.

Celebramos tudo o que você é. Não existem outras pessoas como você no Todo Universal, e sua singularidade é necessária para completar o Todo. Como um quebra-cabeça, você tem uma peça diferente de todas as outras que concorrerá para que ocorra uma conclusão no esquema das coisas dentro dessa evolução espiritual que se desenrola no planeta, e você é necessário em sua forma mais completa. A você foi concedido um prazo para que avance e empreenda a Iniciação da sua própria luz. Nunca houve uma oportunidade como essa de se alinhar tão rapidamente com o Self como agora.

Quem é você? O que você é? O que está fazendo aqui neste plano terreno neste momento? Qual é o propósito da sua jornada aqui? Você vai encontrar as suas respostas, à medida que passar pelos processos deste livro. Você pode se abrir para uma experiência direta de comunicação com os Pleiadianos (se optar por isso) e com os Reinos Espirituais. Este livro contém uma série de Iniciações que começarão a alinhá-lo com o Self, abrindo-o para receber o conhecimento e a verdade dos passos que precisa dar em sua jornada. Você começará a ser capaz de buscar na origem as respostas do seu Self, num processo passo a passo. Será capaz de tomar posse novamente do seu poder nesta vida e de ser um cocriador do seu mundo. Esse é seu *direito divino*.

Você tem que estar aberto para se permitir receber. Caso contrário, continuamente sabotará a si mesmo, ao não se permitir receber a abundância e a cura que fazem parte de seu direito natural. Você vai ter que permitir que o seu coração diga *sim* conscientemente, permitir as aberturas, e então passar pelas portas que se abrem. Não hesite; basta confiar, respirar e soltar. Avance pelas portas abertas!

No início, a mente não vai cooperar com essas mudanças, então você vai ter que sentir o medo e seguir em frente de qualquer jeito.

O instinto natural dos seres humanos quando sentem medo é se contrair, se fechar para os seus sentidos, se fechar para os sentimentos e se imobilizar. A melhor maneira de vencer o medo é o movimento consciente na direção do sentimento e da respiração. Esteja consciente do sentimento de medo, à medida que avança. Quando você faz isso, o medo se dissipa. O medo é apenas um sentimento; ele não pode machucá-lo. Não tenha medo dos seus sentimentos, sinta e continue seguindo em frente.

Você é o único que pode impedir-se de alcançar esses objetivos. Você tem ajuda ilimitada e *não está sozinho*. A ajuda espiritual está ao seu alcance, e os Pleiadianos o apoiarão se você lhes der permissão para fazer isso. Quando começar a se abrir e pedir ajuda, a ajuda aparecerá. Como o Espírito muitas vezes me perguntou durante a minha jornada: "Por que ter um grão de areia quando você pode ter a praia toda?" É seu direito divino ser abundante! Eles pedem que você seja específico a respeito do que precisa; quanto mais específico você for quanto aos detalhes acerca do que precisa, melhor. Então, sua necessidade pode ser criada exatamente do jeito que você precisa.

Ao longo do livro, vamos fazer exercícios para eliminar as barreiras que existem no coração, para que você possa receber do Universo, e receber aspectos de sua própria luz, os aspectos de seu Self. Quando eu falo sobre "a luz do Self", refiro-me ao aspecto mais elevado da sua luz. Isso vai ajudá-lo a evoluir e despertar para o seu verdadeiro caminho. Você se conecta e se alinha com esse aspecto amoroso e iluminado do seu Self, através do seu coração. À medida que você se alinhar mais com o seu coração nas Iniciações, irá começar a se alinhar com a verdadeira energia do amor do coração, e é esse amor que ativa o processo de autocura. Seu coração vai passar pela sua própria transformação, enquanto você faz o mesmo e vai nascer para a energia do Coração Sagrado.

A verdade é que você é o seu próprio agente de cura, e somente você pode se alinhar com esse aspecto amoroso e iluminado do seu Self. Ninguém mais pode fazer isso por você. Você começará a se abrir e a se conectar com o amor que está presente em todo o Universo; o amor incondicional da Consciência Universal. Você é uma parte disso.

Há feridas que você carrega dentro do coração que precisam ser curadas. Algumas dessas feridas estão com você há muitas vidas. É hora de se curar para que você possa avançar na sua vida. As feridas abertas mantêm você separado do amor que é direito seu vivenciar nesta vida. A abertura de seu coração para esse novo aspecto do amor vai produzir uma cura e uma nova sensação de bem-estar dentro de você; ela irá criar um novo senso do Self na medida em que você se sente e se vivencia de forma diferente — não mais separado e distinto, mas *conectado*, uma parte de algo muito bonito e completo.

Eu trabalho diretamente com os Pleiadianos e os Reinos Espirituais, mantendo a plataforma para que as pessoas façam sua jornada de volta para o Self. Trabalho com muitos aspectos do meu Self multidimensional, o que torna possível que eu trabalhe facilmente com muitas pessoas ao mesmo tempo. Isso provém da minha fonte ilimitada de energia, de modo que eu não fico exaurida sob nenhum aspecto. Saiba que sou capaz de manter esta plataforma para você também, quando empreender essa jornada.

Prefácio

Seja paciente consigo mesmo enquanto empreende essa jornada. Para cada capítulo, há uma faixa gravada no meu site que irá gradativamente alinhá-lo, a cada momento, com o Self. Essas faixas irão alinhá-lo com as Forças Espirituais, com os Pleiadianos e com as Forças da Natureza. Esses alinhamentos o ajudarão a desenvolver-se no seu Self e a acelerar uma nova consciência de vida e verdade.

Cada faixa do site tem um potencial ilimitado em sua capacidade de ajudá-lo, à medida que você se transforma e nasce em suas energias. Ao se expandir, você será capaz de trabalhar e utilizar as energéticas mais expandidas que são sustentadas e transmitidas pelas faixas gravadas no site. Cada vez que você ouvir a mesma faixa, ela parecerá bastante diferente da jornada anterior que você empreendeu. Há uma quantidade ilimitada que você pode absorver e à qual pode se conectar em cada jornada.

Saiba o quanto você é profundamente amado e amparado, à medida que avança para conhecer e celebrar a si mesmo! Você vai se lembrar e compreender a verdade. Assim seja!

Com amor e bênçãos,
Christine Day

Introdução

Muitos sentem que algo está faltando na vida, e de fato está. O que está faltando é a nossa conexão com a Consciência Universal, o aspecto amoroso da união de pertencer a todos os seres vivos que possuem essa consciência. Você é uma parte importante disso. Sem você e a dádiva de tudo o que você é, o Universo ficaria incompleto. Mesmo que isso seja algo difícil para a mente do ego compreender, o seu coração compreende essa Verdade.

É hora de você começar a comemorar a sua singularidade e a fazer isso conscientemente no coração e fora, no mundo. Celebre a sua existência como uma dádiva para o mundo.

À medida que concluir cada Iniciação, você começará a vislumbrar o seu novo relacionamento com o Espírito e com o seu

Self. Há uma parte do músculo do seu coração que começará a ligá-lo com a pulsação do Coração Universal, enquanto o seu coração começa a se transformar. Sua vida vai começar a se alinhar com essa pulsação; suas células começarão a vibrar de modo diferente, e haverá uma nova sensação de vitalidade ocorrendo dentro do seu corpo a partir dessa ligação. Com essa nova vibração, você automaticamente começará a se alinhar de modo mais pleno com toda a vida, percebendo um sentimento de unidade com todas as coisas. Sua vida se transformará conforme muda a sua vibração. Você vai atrair novas experiências de abundância, tomar o seu poder de volta e se abrir para o seu direito natural de ter abundância em todos os níveis.

Você não está sozinho com suas perguntas, não está sozinho em sua dor e não está sozinho em suas experiências. Todos nós temos nossas histórias, e, por meio delas, temos uma oportunidade de renascer para a Totalidade. A sua história pode ajudá-lo a dar os primeiros passos em sua jornada, mas chega um momento em que você tem que deixar a sua história para trás. Você não pode avançar na direção de uma verdadeira cura a menos que esteja disposto a abrir mão da sua história. Isso permite que você passe para um novo nível de cura, deixe de ser a vítima e assuma a responsabilidade pelo papel que representou para ter sua experiência. Isso permite voltarmo-nos totalmente para nós mesmos, de modo que a verdadeira cura possa ocorrer. Chega um momento em que a história que vivemos já não pode nos ajudar a avançar. Você aprendeu tudo o que podia com ela. Vai entender que não tem que se prender mais a ela. Você não tem que continuar com a dor, a tristeza, a culpa, a raiva ou os fardos que pertencem a essa história. É como se a história se tornasse uma casca vazia que você não precisa mais carregar consigo. É com ela que você se identificou até o momento, mas agora sabe que você é muito, mas muito mais do que a sua história. Nesse momento de despertar você dá um grande salto em direção ao Self.

Pode ser assustador e excitante o momento em que você chega a essa verdade, e é preciso muita coragem para abrir mão da história e avançar em direção ao Self, em uma nova vida e uma nova maneira de viver. Por meio dessas Iniciações você será capaz de começar a superar a dor e se abrir para a verdade do momento, a verdade do Self neste momento, e ser capaz de soltar. Deixe ir a história limitada tridimensional que você acreditou ser, que o limitou, e que mantinha você num ciclo de autossabotagem.

Nós todos nos agarramos a um conceito de nós mesmos por tempo demais, mas a liberdade está além dessa ilusão. A verdadeira liberdade está dentro de nós, então abra-se para a paixão que está dentro de você, a paixão que pode curá-lo e libertá-lo de seu passado. O processo de autocura é amor, paciência e compaixão por nós mesmos. Essa é a poderosa autocura.

Fui muito privilegiada, em meu processo de nascimento, por ter sido assistida por Jesus. Ele veio até mim muitas vezes como um grande professor e um amigo querido. Numa das minhas primeiras experiências com Ele, Ele me perguntou: "Quando você vai se tirar da cruz? Você veio aqui para ressuscitar a si mesma. Ninguém mais pode fazer isso por você". Percebi nesse momento que eu tinha condenado a mim mesma por muitas coisas que fizera na vida e minha culpa era esmagadora. Eu mesma me perseguira muitas vezes novamente. Com o amor e os ensinamentos de Jesus, e a compreensão do que é o amor, fui capaz de me perdoar e me curar. Jesus mostrou-me que eu sou a única que pode me ressuscitar e me tirar da cruz. Eu tinha me colocado na cruz e eu tinha que me tirar dali. Eu me ressuscitei lentamente em muitos níveis, passo a passo. Trata-se de uma jornada profunda e que vale muito a pena, e eu continuo essa caminhada até hoje, sempre me lembrando de que a jornada é o mais importante, não o destino. Jesus é meu professor sempre, me ajudando a me abrir para mais compaixão, amor e paciência para comigo mesma. Essa energia de amor que se desvela faz agora parte da plataforma que sustento para muitas pessoas no mundo. Sustento essa energia para cada um de vocês, enquanto passam por essas Iniciações.

Você merece ser amado e amar.
Você não pode esperar que alguém o ame a não ser que esteja disposto a se abrir para o amor próprio e para a compaixão
por si mesmo.
Você merece ser abundante.

O mais importante é que todos os seres humanos entendam que é impossível sermos perfeitos. Vamos cometer erros ao longo da vida. Nós nos sabotamos quando decidimos ser perfeitos. Como seres humanos, somos "perfeitamente imperfeitos". É por meio dos nossos erros que aprendemos. É a intenção por trás da ação o que realmente importa. É com essa intenção e o seu coração aberto que você pode progredir e viver conscientemente. Tenha compaixão e paciência para com os erros que você comete e perdoe-se enquanto vive o seu dia a dia.

Ao se comprometer a iniciar a sua jornada de volta ao Self, isso possibilita que você também ajude os outros em suas jornadas. É o que eu chamo de "Economia Divina" do Universo. Ela foi instaurada para que cada um de nós possa utilizar plenamente a energia que está mudando aqui, neste planeta da terceira dimensão. Essa energia se transforma à medida que os indivíduos começam a tomar posse do seu poder, a conectar-se com a sua luz e a se abrir para a abundância e a criatividade ilimitadas que cada um de nós possui.

Essas mudanças criam uma imensa onda de energia de luz que começa a desfazer as ilusões aqui no nosso planeta: as ilusões da falta de abundância, da luta e do medo. À medida que as ilusões da terceira dimensão começam a se desfazer, a jornada de volta para o Self começa a acelerar para cada indivíduo. É como se o mundo pudesse utilizar essa energia que criamos para a transformação de questões fundamentais, rompendo os moldes que foram perpetuados no plano terreno durante muitas vidas. Cada vez que decidimos fazer de modo diferente e não deixamos que o medo egoico nos impeça de avançar, ajudamos os outros a vencerem a ilusão do medo, pois o molde do medo se rompe. Isso abre um potencial mais forte para uma nova liberdade e uma nova maneira de viver.

Como começar a jornada de autocura, vivendo conscientemente dessa maneira?

Primeiro você deve querer mudar conscientemente e estar disposto a participar das mudanças dentro de si. Você se abre para a intenção de viver de um modo consciente, o que significa não se permitir ficar satisfeito. Você não deve se contentar com a mediocridade, mas avançar com consciência deliberada rumo à sua paixão, à sua vitalidade, e ao seu próprio modelo para esta vida.

Você deve ficar aberto, com uma percepção consciente dos Seres de Luz e dos seres dos domínios angélicos, que estão aqui para ajudá-lo. Como você tem livre-arbítrio, precisa se abrir e *dizer sim* a essas conexões. Você deve convidar o Espírito para estar com você, convocar a ajuda desse Reino para assisti-lo agora.

Os Pleiadianos e os seres dos Reinos Espirituais me orientaram passo a passo, ao longo dos últimos 22 anos. Posso confiar em cada experiência que se apresenta a mim e dar conta de qualquer experiência, seja ela qual for, num modo de consciência totalmente novo. Esse entendimento veio por meio de uma série de experiências e Iniciações profundas dos Pleiadianos e diferentes Forças Espirituais, que me levaram à conexão com os aspectos do meu Self de luz. Isso me alinhou com uma Verdade Universal, e me levou a uma profunda compreensão da minha jornada neste plano terrestre nesta vida e a uma profunda compreensão das muitas experiências difíceis que eu escolhi vivenciar aqui neste mundo, desde o nascimento.

> Saiba que você não está sozinho;
> Saiba que você é um aspecto importante da Totalidade divina;
> Saiba que sua luz é essencial dentro do Universo;
> Saiba que você é profundamente amado e está sempre amparado na luz.

Minha experiência de trabalho com os Pleiadianos comprova que eles sempre respeitam plenamente o seu espaço pessoal e nunca se aproximam sem serem convidados. Esse é o compromisso deles, porque esta é a sua jornada. Eles vêm como Mestres, oferecendo conhecimento e verdade, ajudando-o a dar seus passos, quando você estiver pronto para avançar. Eles refletirão o seu compromisso consigo mesmo; quando você aparece, eles também aparecem, e asseguram a cada momento um espaço contínuo para você renascer. O amor deles é inabalável, e sua presença, constante e verdadeira.

Sem o amor deles e sua presença constante em minha vida, eu não teria sido capaz de empreender esta jornada de cura que tenho vivenciado, levando-me de um sombrio lugar de desespero até me sentir preenchida e curada em minha vida.

Introdução

Há muitas pessoas despertando neste momento, e juntas vocês formarão fortes *grupos anímicos*. Esses grupos anímicos ou famílias de alma que estão sendo formados são compostos de pessoas que fizeram pré-acordos para virem juntas neste momento, a fim de trabalharem juntas energeticamente, para se apoiarem mutuamente nas transformações pessoais e para testemunharem o nascimento umas das outras. Vocês vão se encontrar e ficar fortemente conectados em suas jornadas. Isso está predestinado. Vou manter uma plataforma de apoio para todos aqueles que optarem por avançar com as energias deste livro.

Minha História

Para mim é importante compartilhar com você algumas das minhas experiências de vida e as importantes reviravoltas que ocorreram em diferentes épocas da minha jornada. Todos nós temos reviravoltas na vida. Eu tive muitas.

Embora para mim seja extremamente difícil voltar e me lembrar da minha infância, com a sua solidão, dor e luta, acho importante compartilhá-la com você neste livro. Se a minha experiência puder ajudar qualquer um de vocês, então ela é digna de ser compartilhada. Espero que minha jornada lhe inspire quando você precisar dela. Confio na orientação do Espírito com relação a isso e eu sempre serei profundamente grata por tudo o que tenho passado — cada experiência, não importa quão dolorosa seja. Eu nunca mais quero voltar e reviver nenhuma delas, mas essas experiências me levaram a ser quem sou, neste momento, e à conexão profunda e maravilhosa com o meu aspecto divino, com a lembrança consciente de tudo o que eu sou, e à compreensão do meu lugar na Consciência Universal.

Deixe-me começar a história da minha vida do momento em que recebi o diagnóstico de lúpus eritematoso sistêmico e os médicos me deram apenas poucos meses de vida. Eu tinha 31 anos. Quando ouvi o diagnóstico, fiquei mais aliviada do que chocada. Percebi que, lá no fundo, eu queria morrer; eu queria morrer já fazia muito, muito tempo.

Meu pensamento seguinte foi — e agora, olhando em retrospectiva, eu sei que se tratava de um pensamento inspirado —, que eu tinha na verdade criado algo para me matar! Senti uma excitação percorrer meu corpo ao chegar a essa constatação. Antes eu não acreditava ser capaz de criar qualquer coisa.

Minha vida tinha sido uma vida morta até aquele ponto. Eu costumava olhar no relógio e calcular quantas horas ainda tinha no dia para viver. Não me acreditava capaz de realizar nada, e não tinha pensamentos originais ou criativos de minha autoria. É por isso que fiquei tão entusiasmada ao pensar que fora capaz de criar essa doença!

Meu pensamento seguinte também foi inspirado: "Se criei algo para me matar, então também posso criar algo para me curar!" Nesse momento percebi que toda a dor e todo o trauma da minha infância ainda estavam guardados dentro de mim de alguma forma e eu tinha de encontrar um jeito de deixar isso para trás. Eu precisava encontrar ajuda.

Eu sabia que, se quisesse continuar viva, teria que encontrar um modo de fazer tudo de modo diferente. Eu não sabia o que isso significava, mas fui embora do hospital naquele dia, abandonei os médicos e os remédios. Em retrospectiva, agora sei que aquele foi o dia em que tomei o meu poder de volta. Quando abandonei os médicos e as expectativas de que eles iam me curar, eu me voltei novamente para mim mesma, sabendo que tinha de fazer algo para curar a mim mesma. Eu era responsável pela minha própria cura! Essa era a minha cura. Eu não sabia disso na época — tudo o que eu sabia era que as coisas teriam de ser feitas de outra maneira. Eu não sabia bem por onde começar. Não frequentava nenhuma igreja nem seguia nenhum caminho espiritual. Só tinha a mim mesma. Eu conhecia o meu passado e a compreensão inspirativa da dor que ainda tinha dentro de mim. Por isso parti desse ponto e iniciei uma terapia. Fiz trabalho corporal e comecei um programa nutricional com ervas naturais. Decidi começar a meditar diariamente. Eu não tinha ideia de como se meditava, então simplesmente me sentava em silêncio comigo mesma. Essas foram as medidas que cegamente tomei, e elas funcionaram!

Minha saúde melhorou rapidamente, mas então comecei a lidar com a dor profunda da minha infância. Ela estava me mutilando emocionalmente e descobri que era muito difícil olhar de frente a dor e o medo intensos. Fui transportada de volta para um lugar muito escuro: o lugar da minha infância. Minhas lembranças quase não existiam, mas os sentimentos de dor emocional eram fortes e inundavam a minha vida. Eu percebi que não tinha noção de quem eu era no mundo, como se eu sempre tivesse representado um papel, quase copiando as outras pessoas e o jeito como elas eram, em vez de conhecer e sentir o meu Self. Foi uma época difícil enquanto eu lutava para me descobrir.

Eu não sabia, na verdade, o que era meditação, mas me comprometi a simplesmente me sentar em silêncio e ficar comigo mesma. Aos poucos, fui tomando consciência de um tipo de presença pacífica à minha volta, e instintivamente senti que ela me fazia bem. Eu tinha que confiar no sentimento; era tudo o que eu tinha. Por isso sofri com o fato de, naquela época, não entender realmente o que estava fazendo.

Um dia, enquanto eu meditava, comecei a receber essa energia impressionante e, num período de dois ou três segundos, dois sistemas completos de cura me foram transmitidos. Foi como se eu tivesse estudado esses sistemas toda a minha vida e os conhecesse a fundo.

Fiquei dominada por essa experiência, sem saber ou confiar no que havia agora dentro de mim — não apenas dentro de mim, mas como uma parte de mim, não separada. Era como se toda uma parte nova de mim tivesse nascido nesses dois ou três segundos. Eu me sentei por algum tempo, atordoada, me sentindo e percebendo essa nova parte de mim. Eu a descreveria como energia e amor, e algo bom, íntegro, e muito, muito real. Eu podia senti-la pulsando nas minhas células suavemente, como outro batimento cardíaco, e um fluxo de luz como um sol nascente em cada célula. Eu me sentei em completo silêncio, respirando suavemente e só sentindo esse fluxo de luz. Havia uma nítida vivacidade ali — uma vivacidade que eu ainda não tinha vivenciado em minha vida até aquele momento. Todas as células estavam recebendo uma transformação e o amor fluía para mim, curando as minhas células. O amor me amparava de uma maneira que eu desconhecia.

Eu tive o meu filho em casa, e ele tinha muitos problemas de saúde complexos. Alguns dias depois de receber essa energia, decidi colocar as mãos sobre o seu corpo e ver se ela funcionava com ele. Quando coloquei as mãos sobre o seu corpo, senti essa nova energia circulando através de mim. Eu podia sentir o amor se abrindo dentro de mim e uma sensação profunda de cura começou a se formar enquanto eu trabalhava com ele. Mesmo com todas as dúvidas sobre a minha capacidade de fazer isso, começou a fluir um certo processo. Era fácil e belo. E provocou uma sensação incrível de serena alegria dentro de mim. Fiquei em paz. Fui transportada a um lugar onde havia um sentimento único de fazer parte de algo — de realmente pertencer a algo pela primeira vez na vida. E, no entanto, eu não conseguiria dizer onde esse lugar existia e quem eu era nesse lugar. Não parecia fazer diferença. Horas depois de trabalhar com o meu filho, eu pude ver mudanças nele. Foi um milagre! Foi um milagre para mim e para meu filho.

Todos os dias eu trabalhei com ele, e todos os dias havia curas para nós dois. Durante dois anos eu trabalhei com ele diariamente, e ambos nos transformamos. Nessa época eu desenvolvi um relacionamento incrível de confiança com o Espírito. Assumi um compromisso pessoal com o Espírito, de seguir cada orientação que me era transmitida. Eu tinha sido tirada dos braços da morte e restituída à vida, e minha intenção era continuar a me comprometer cada vez mais com a vida.

Minha existência se encheu de vida. Comecei a trabalhar com outras pessoas, e a energia — a minha energia — começou a se expandir. Meu coração se abriu mais e mais. Meu casamento começou a desmoronar quando comecei a mudar. Meu marido tinha se casado com uma pessoa carente e fechada, e eu não era mais aquela pessoa. Eu estava viva, saudável e feliz. Meu casamento acabou.

Minha vida era preenchida pelos meus três filhos e pelo meu trabalho com as pessoas. Eu era feliz e me sentia realizada. Eu amava minha casa e tinha uma vida boa e simples.

Minha conexão com as Forças da Natureza foi crescendo, e eu estava me tornando consciente da conexão e da força vital da natureza, percebendo que eu também era uma parte desse maravilhoso mundo da natureza e que não havia nenhuma separação entre mim e as Forças da Natureza. Comecei a ser iniciada no mundo xamânico, entendendo meu lugar dentro deste mundo. Comecei a assumir o meu lugar. Minha cura se acelerou em muitos níveis diferentes, quando comecei a receber a compreensão acerca da minha jornada até esse ponto, e à medida que comecei a me perdoar e a me ressuscitar.

Eu fui orientada pelo Espírito a empreender uma busca de visão, uma jornada em meio à natureza num fim de semana, para aprofundar a minha aliança com a natureza e as Forças da Natureza. Foi então que tive a minha primeira visão. O sol estava nascendo, e, enquanto despontava, ele começou a girar, produzindo raios de luz brilhante. A luz começou a formar uma gigantesca teia de aranha. Bem no centro da teia havia uma luz brilhante e expandida. Ela pulsava dentro de mim e veio com uma mensagem. Fui informada de que devia deixar a Austrália no prazo de um mês, deixar meus filhos e ir morar nos Estados Unidos. Eu devia levar apenas uma mala comigo. A visão foi tão forte e dramática que, por mais que quisesse, eu não podia negar a mensagem.

Deixar meus filhos! Eu não poderia me imaginar longe deles, e ainda assim sabia que a mensagem estava certa, e que era algo que eu tinha que fazer. Eu não sabia como iria fazer isso ou como poderia fazê-lo!

Foi-me dito que eu deveria dizer aos meus filhos dentro de 48 horas que eu iria partir.

Este era o passo seguinte para mim. Eu tinha me comprometido a confiar no Espírito, tinha prometido seguir sua orientação. Eu sabia que estava cada vez mais sendo trazida à vida — que havia uma missão a cumprir. Eu não entendia ou não sabia que missão era essa, mas o sentimento era tão forte que foi como se meu coração estivesse sendo partido em dois e não havia nada que eu pudesse fazer, a não ser seguir em frente. Os Estados Unidos eram o meu passo seguinte.

Eu estava realmente com medo, mas continuei recebendo a mensagem: "Não deixe que o medo detenha você, ele é só uma sensação!" Isso não ajudou a diminuir a dor profunda que eu estava sentindo no meu coração. Eu sabia que meus filhos nunca mais olhariam para mim da mesma maneira depois que eu dissesse a eles.

Mandei meus dois meninos mais novos para a casa do pai; minha filha já tinha um emprego e idade suficiente para morar sozinha. Foi um período muito difícil. Meus filhos ficaram com raiva, meus amigos me criticaram por deixar os meus filhos. Eu estava muito sozinha e com muito medo. Não conhecia ninguém nos Estados Unidos. Não sabia onde deveria ir ou o que teria de fazer lá. Tudo o que eu podia fazer era tornar a me lembrar de que era a coisa certa a fazer, por mais difícil que fosse. Eu tinha que confiar.

A única maneira que encontrei para entrar no avião foi dizer à minha mente que, se eu não gostasse, poderia voltar depois de uma semana. O medo era intenso. Eu tive a intuição de reservar a minha passagem para São Francisco, e tinha visto um curso sobre Corpo de Luz que haveria logo após a minha chegada. Eu tinha ligado e me matriculado no curso, que seria ministrado no Monte Shasta. Eu pensava que Monte Shasta era um subúrbio de São Francisco. A pessoa que daria o curso teve a gentileza de me pegar no aeroporto, por isso no desembarque em São Francisco eu fui levada diretamente ao Monte Shasta.

Eu pulei de um penhasco ao deixar meu país natal, a Austrália, mas estava tão amparada pelo Espírito e sustentada na minha jornada, que me vi nesse maravilhoso local: o Monte Shasta, que é uma montanha incrível! A energia era extraordinária e as Forças da Natureza tão poderosas que eu recebia energia diariamente da montanha, e lá havia vórtices de energia poderosos que abriram muitas Iniciações para mim.

Eu morei no Monte Shasta durante um ano, trabalhando com pessoas e passando por Iniciações e experiências profundas. Minhas energias e meu trabalho se expandiram. Comecei a fazer workshops com grupos de pessoas, bem como sessões individuais. Eu estava ocupada, e estava feliz. Adorei estar nessa montanha. Em minha mente eu me via vivendo ali para sempre.

Então fui orientada pelo Espírito a fazer um retiro de dois meses: a simplesmente me sentar e ficar aberta para receber. Foi um período poderoso para mim, e meu coração se abriu e se expandiu enquanto eu me alinhava cada vez mais com as Energias Espirituais. Fui transportada para muitos e diversos Reinos Energéticos e passei por muitos processos de cura diferentes. Foram-me concedidos compreensão e conhecimento ao longo desse período, e fiquei profundamente tocada e grata. Eu tive que usar as minhas reservas financeiras para sobreviver durante essa época. Confiança!

Quando os dois meses chegaram ao fim, eu estava quase sem dinheiro e meus filhos estavam chegando para uma visita de seis semanas. Foi maravilhoso vê-los, mas eu tinha gastado todas as minhas reservas no dia em eles foram embora. Eu os levei de carro ao aeroporto de São Francisco e, no momento da partida, dei-lhes o último tostão que me sobrara.

Eu tinha combinado trabalhar com um grupo de pessoas na região de Mill Valley e me organizado para fazer esse trabalho, por isso saí do aeroporto e me dirigi para lá. Tinha um mapa comigo, com indicações para o centro da cidade, onde eu faria uma ligação telefônica para que fossem me buscar e me levar à casa onde iria trabalhar. Havia reservado uma moeda para fazer o telefonema, e não tinha mais nenhum dinheiro. Estava escuro e chovia no momento em que eu cheguei. Achei uma cabine telefônica, coloquei a minha moeda no telefone, disquei o número e nada aconteceu: o telefone não estava funcionando e eu perdi a minha moeda.

Lá estava eu, desamparada no meio da noite, na chuva, sem dinheiro e sem nenhuma maneira de entrar em contato com minha amiga. Naquele momento eu estava totalmente em pânico. Tudo o que eu tinha deixado para trás na Austrália — meus amigos, meus filhos, minha vida segura — tinha desaparecido. Eu tinha confiado, e olhe onde eu estava: sem nada, perdida.

Minha mente cedeu e alguma coisa se rompeu dentro de mim. Eu estava trêmula e apavorada, a minha confiança havia terminado, tudo desapareceu. Que idiota eu tinha sido ao tomar esse caminho, confiando assim!

Andei lentamente de volta para o carro sem saber o que fazer, sentindo desespero e desânimo completos. Quando cheguei ao carro, notei algo no assoalho. A luz do poste brilhava sobre algo. Inclinei-me e ali no assoalho do carro havia outra moeda!

Aquilo me fez rir. Eu fiz o telefonema para a minha amiga e ali se iniciou outro nível do meu trabalho.

Foi uma reviravolta para mim, e desde então minha vida e meu trabalho se aceleraram. Nunca mais estive no mesmo ponto novamente. A ruptura tinha sido uma parte do meu ego indo embora, e eu passei a entender que, sem essa experiência intensa naquele momento, eu não poderia ter tido a cura que era necessária, ou ter sido capaz de me mover para outro lugar dentro de mim.

Meu filho mais novo veio morar comigo depois do meu primeiro ano nos Estados Unidos, e foi maravilhoso tê-lo comigo. Eu estava ensinando o trabalho para grupos de pessoas, continuando a me expandir com o Espírito e ainda agindo de acordo com as diretrizes transmitidas a mim pelo Espírito. Eu estava ocupada em canalizar os novos aspectos do trabalho a fim de ensinar a primeira parte do trabalho que tinha recebido.

Minha relação com a luz, com o Espírito, era o meu foco principal. Eu continuei com o compromisso de viver e avançar em sintonia com a luz — a minha luz. Estava constantemente sendo levada a aspectos mais profundos da minha luz, vivenciando uma união mais profunda com a luz, que estava me abrindo para muitas Iniciações ao meu Self. Eu estava sendo levada rumo a um novo esclarecimento da verdade e da cura, que era tão bonita, e sendo aberta para muitos conhecimentos e entendimentos do meu caminho e da minha missão aqui neste plano terrestre.

Tudo o que eu sabia era que estava sendo guiada pela luz — por Deus. Meus pensamentos eram simples sobre quem ou o que estava me levando. Eu simplesmente me entregava e avançava com confiança. Se me perguntassem, "Você trabalha com seus guias?" eu diria: "Eu sou guiada pela luz, e tenho experiências maravilhosas com Deus". Eu era muito grata pela minha jornada. Não entendia por que tinha sido escolhida para fazer aquele trabalho, mas estava comprometida e honrada, e, à medida que o trabalho se desenrolava mais e mais, eu descobria que se tratava de uma experiência de humildade. É como se o trabalho e eu tivéssemos nos tornado uma coisa só.

Todo dia eu andava em um lugar muito sagrado perto da minha casa. Sentia um apelo para estar em meio à natureza, e recebia uma bênção a cada dia nesse lugar sagrado. Conhecia cada árvore e cada pedra, e amei a relação que tive com este lugar. Geralmente ia toda manhã ver o sol nascer e caminhar na trilha. Esse lugar estava cheio de vórtices de energia e portais dimensionais. Às vezes eu entrava nesses espaços energéticos e outras vezes apenas caminhava através deles. Eu fui sempre muito orientada por esse lugar.

Um dia, quando entrava na minha trilha sagrada, tomei consciência de algo muito diferente. Entrei em um mundo que eu nunca tinha experimentado. Havia um grupo de extraterrestres — Pleiadianos — esperando para me receber. Fiquei chocada. Eu não acreditava em naves espaciais e alienígenas! A energia era pura luz — o amor sendo dirigido a mim. Eles foram me cumprimentar, levando-me a me aproximar deles, me abraçando. De repente, eu estava aberta. Engoli em seco quando a minha consciência se expandiu e penetrou em uma lembrança total da minha herança pleiadiana: a minha vida vivida com os Pleiadianos e ao mesmo tempo minha vida aqui no plano terrestre. Eu me vi entrando no meu pleno eu pleiadiano. Olhei para baixo, para Christine, enquanto recuperava a lembrança completa da minha missão aqui neste plano terrestre, escolhendo essa missão, e da minha vida e família pleiadianas. Eu estava de pé e vivenciando toda a minha luz nessa consciência pleiadiana.

Não sei quanto tempo fiquei ali, naquele lugar com minha outra família, mas eu me vi de volta à minha casa sem nenhuma lembrança de como cheguei ali. Eu estava num estado incrível de expansão.

Eu me sentia profundamente perturbada. Não podia ignorar minha experiência, era poderosa demais. No entanto, eu não queria ser uma Pleiadiana. Eu não queria essa informação. Não queria essa verdade. Estava terrivelmente confusa e desorientada. Uma luz ampliada pulsava no meu corpo. Era tão excessiva que eu mal conseguia me mover, e eu me senti totalmente sem forma. Eu estava apenas consciente de ser uma energia radiante; eu tinha perdido a noção do meu corpo físico. Não tinha nenhuma experiência sensorial do meu corpo: não conseguia sentir o vento no meu rosto, não conseguia sentir o calor do sol. Tudo o que eu vivenciava era essa luz extrema — uma luz ofuscante, dia e noite. Eu não conseguia descansar com a intensidade dessa experiência. Estava profundamente angustiada nesse estado, enquanto essa luz brilhante e ofuscante continuava a pulsar em mim.

Fiquei assim durante dois meses, sem conseguir fazer as coisas direito, e ao mesmo tempo oscilando entre a verdade do que tinha ocorrido e a verdade de quem eu era. Eu estava com raiva. Não sabia como continuar a minha vida com essa verdade. Eu queria voltar a ser como era antes, eu não queria aquilo! Havia esse conflito dentro de mim, eu não sabia como encaixar as duas peças: a minha ligação com Deus e o meu eu pleiadiano.

Aos poucos, cheguei à percepção do amor que estava presente no meu Self, e fui levada à compreensão de que só existe a Unidade e os Pleiadianos fazem parte dessa Unidade — parte do Todo — e que eu faço parte desse Todo, da consciência de Deus. Eu acordei para essa simples verdade da Unidade de todas as coisas.

O trabalho que tinha vindo através de mim, havia muitos anos, era dos Pleiadianos, embora eu não tivesse sido capaz de enfrentar essa verdade na época. Agora eu podia lidar com isso, agora que eu tinha uma conexão forte com a luz e havia construído uma sólida ancoragem da verdade dentro de mim. Tive que aceitar essa verdade, e viver essa verdade. Fazia parte do meu destino. Eu não podia negar a verdade do que estava acontecendo. Sabia que era verdade, e precisava seguir em frente com essa verdade. Saí dessa experiência mais forte e muito consciente de minha família das Plêiades cercando-me com um amor incrível. Eu estava me tornando um elo importante entre os Pleiadianos e o trabalho de Iniciação que eles estavam trazendo para ancorar aqui neste plano terreno para a humanidade.

Levaria seis anos ainda para que eu fosse plenamente capaz de integrar toda a energia do meu eu pleiadiano na minha forma humana. Meu trabalho se expandiu em Israel, onde comecei a dar aulas regularmente e a trabalhar amplamente com crianças.

Eu me senti atraída para a região da Galileia, em Israel, para a cidade de Cafarnaum, que é no Mar da Galileia. Cafarnaum é a cidade que foi formada para Jesus. Eu tinha uma forte orientação para ir para lá, embora não tivesse tido anteriormente qualquer relacionamento especial com Jesus. Eu não tinha uma criação religiosa ou interação com sua energia. O impulso de ir para essa cidade foi intenso.

Quando cheguei e saí do carro, fui tomada pela emoção — uma emoção tão forte que me fez cair de joelhos. Eu fiquei no chão soluçando incontrolavelmente, como se meu coração estivesse se rasgando, não de tristeza, mas de uma alegria intensa. Ela vinha direto do meu coração. Eu fiquei no chão por uma hora, completamente subjugada. Eu não sabia como ia entrar nesse lugar, e assimilar a energia dali.

De repente, senti Jesus comigo. Ele pediu-me para caminhar até a beira do Mar da Galileia e ficar ali. Desci até o mar. Era lindo e tranquilizador. Fiquei ali tentando me recompor, com um sentimento de paz dentro de mim. Quando olhei ao longe, para a água, vi uma forma vindo em minha direção. Era Jesus caminhando sobre as águas, com os braços estendidos para mim e a luz fluindo ao redor dele. O amor era tão forte que pulsava através de mim, e a luz que o circundava chegava até mim e me envolvia. Ele veio e colocou as mãos no topo da minha cabeça e eu senti uma unção incrível. Ele então tomou as minhas mãos nas dele, e nós caminhamos juntos ao longo da costa. Ele me falou de amor e se referiu ao meu ministério com as pessoas, bem como à importância do ensino e da ação de amor.

Jesus é um mestre constante em minha vida e continua a me ajudar com muito amor. Ele me ensinou muito sobre amar a mim mesma com compaixão. E me disse que sua principal missão aqui é o amor — que nós, como seres humanos, viemos aqui para nos tirar da cruz e ressuscitar. Minha jornada com Jesus mudou minha vida. Ele me elucidou sobre o que o amor realmente é e como essa energia de puro amor pode transformar tudo. Ele me deu a oportunidade da cura, ajudando-me a compreender a mim mesma e minha vida, para que eu fosse capaz de me abrir para uma compaixão verdadeira, e para o verdadeiro amor-próprio essencial de que eu tanto precisava para me receber de volta.

Recebi uma orientação canalizada para começar a ensinar o segundo material que me tinha sido transmitido havia muitos anos. Disseram-me que o plano terreno já estava pronto para essas Iniciações, que foram ativadas pelo trabalho das Frequências de Brilho. Isso me levou a exercer um papel mais ativo e profundo com os Pleiadianos, à medida que comecei a ensinar e transmitir esse trabalho de Iniciação.

O trabalho das Frequências de Brilho expandiu-me rapidamente em muitos outros níveis de consciência e a experiência do trabalho foi bonita. À medida que minha energia se expandia, o meu trabalho se expandiu no mundo. Ele fluiu para Bruxelas, Holanda, Itália, Canadá, Brasil e Argentina, e por todos os Estados Unidos. Tudo começou a acelerar no meu mundo, à medida que iniciei as pessoas nesse novo trabalho. Foi uma honra levar essa Iniciação pura para o planeta e trabalhar ainda mais estreitamente com os Pleiadianos.

Sai Baba é um mestre e amigo, que desempenhou um importante papel na minha vida. Ele me ensinou o poder do riso, e a não me levar muito a sério. Eu adoro o fato de que, mesmo quando ele estava no plano da Terra na forma física, tinha a capacidade de aparecer para mim em qualquer lugar, a qualquer momento. Às vezes, ele me chamava para ir até ele, no ashram em Puttaparti. Ele dizia: "É hora de você vir e ficar no meu lugar por um tempo". Meu coração está cheio de gratidão por sua presença constante em minha vida.

Fiz contato com ele pela primeira vez em 1985. Tinha acabado de ler um livro sobre ele e, cerca de quatro horas depois, ele apareceu no meu quarto e disse, "É hora de vir me ver na Índia". Eu fiquei chocada, e disse a ele "Isso é impossível!"

Ele disse: "A maneira será esclarecida" e então desapareceu.

Eu não tinha dinheiro e, mesmo que tivesse, certamente não seria para ir à Índia!

Cerca de três semanas depois, o pai da minha melhor amiga, que me considerava como uma filha, deu-me 4.000 dólares, com a instrução de que fosse usado apenas por mim. Quatro semanas depois eu estava no ashram em Puttaparti. Fiquei lá durante um mês, na época mais quente do ano, no meio do deserto, no sul da Índia, com ventos fortes e a poeira voando. Eu odiei aquilo!

Minha raiva e infelicidade cresciam a cada dia. Na época em que parti do ashram eu estava totalmente enfurecida. Era como se toda a raiva que tinha sido trancada dentro de mim se desprendesse. Quando saí, ouvi Sai Baba me dizer: "Você vai voltar." Eu disse: "Nunca!"

Dois meses depois de voltar para casa fui diagnosticada com lúpus. Sei agora que a energia emocional liberada no ashram possibilitou meu próximo passo. Não tive outra experiência consciente com Sai Baba durante 12 anos. Estive em seu ashram outras quatro vezes durante os últimos 13 anos. Essas visitas foram muito diferentes da minha primeira viagem, mas é claro que, em consciência, eu havia me transformado na ocasião da segunda visita. E tenho sido extremamente privilegiada por ter o apoio dele no meu trabalho. Ele continua a me ensinar na minha vida.

Recebi uma orientação para ir à Bósnia. Disseram-me para ir a Medjugorje, local em que Mãe Maria apareceu para muitas pessoas. Há uma montanha aonde milhares de pessoas vão para se curar. Elas sobem a montanha, e é ali que muitas pessoas testemunharam a aparição de Mãe Maria. Muitos têm vivenciado curas milagrosas neste lugar.

Quando cheguei a Medjugorje, caminhei pelas ruas da cidade. Havia tanto desespero e desolação no rosto das pessoas! Tinha havido uma guerra terrível, e as pessoas do lugar pareciam estar em pedaços.

Eu andei pelas ruas em meio ao vento gelado. Não conseguia me aquecer; o vento era tão forte e frio que não havia praticamente ninguém nas ruas, e certamente nenhum peregrino para subir a montanha naquele dia. O céu estava muito escuro. Era o meio da manhã, mas a escuridão pesada do céu fazia com que parecesse noite.

Recebi uma mensagem. Era para eu subir a montanha. Não fiquei impressionada e senti uma resistência enorme, mas é claro que eu tinha que ir. Meu compromisso era o de seguir a minha orientação, não importava o que fosse! Procurei me vestir de modo que ficasse o mais aquecida possível. O vento uivava quando comecei a longa e íngreme escalada montanha acima. Eu estava sozinha no caminho. Quanto mais eu subia mais ventava e mais frio fazia. Eu lutava contra o vento. Continuava sendo empurrada para trás pela sua incrível força. O céu estava ficando cada vez mais escuro. Eu estava ficando cada vez mais furiosa, e farta daquilo. O vento estava ficando mais forte e cada vez mais frio.

Quando cheguei ao topo foi terrível; as condições eram piores, e a única maneira de não ser arrastada montanha abaixo era agachar-me dentro da base da enorme cruz de metal que fica bem no topo da montanha. Eu me arrastei para dentro da base da cruz e fiquei descansando ali, tentando me proteger do vento, ainda muito frio, e pensei comigo mesmo: "O que estou fazendo aqui? Isso é uma loucura!"

De repente, vi uma luz no céu, como se as nuvens negras tivessem se separado um pouco e deixado passar essa luz gloriosa. Olhei para cima e vi Mãe Maria. A luz desceu brilhando para dentro de mim, e eu me senti repleta de calor e de um grande amor. Mãe Maria me falou sobre a importância da minha missão aqui na Terra e do trabalho que eu iria fazer no mundo, mas havia algo mais importante do que todo o trabalho que teria de fazer — eu mesma. Eu era o foco mais importante, e ela me disse que estava ali para *me* apoiar, e não para apoiar o trabalho. Era incumbência dela me amparar e me amar na minha jornada nesta vida. Ela me pediu para me abrir para ela e invocá-la a qualquer momento, pois ela atenderia ao meu chamado.

As lágrimas rolaram pelo meu rosto. Era difícil colocar o foco em mim e acreditar que eu era digna dessa dádiva de amor. Eu nunca tinha conhecido o amor de mãe, e ela me deu isso. Demorou muitos anos antes de eu ser capaz de receber plenamente o amor que ela me oferecia, e aceitar a graça que recebi naquele dia. A luz desapareceu e eu estava de volta à escuridão e ao vento que uivava. Por dentro eu estava aquecida e repleta da luz de Mãe Maria. Foi uma difícil jornada montanha abaixo, contra o vento, mas eu estava tão repleta com o calor de Maria que isso tornou o caminho fácil. Ela me amparou enquanto eu fazia o caminho de volta.

Maria tem estado comigo desde então, sempre ao meu lado quando eu chamo por ela. Eu nunca poderia ter imaginado o quanto ela contribuiria com o meu processo de cura relacionado à minha infância. Sem ela, não acho que teria sido capaz de empreender a cura das enormes feridas que havia dentro de mim.

Alguns anos mais tarde, eu estava presente no nascimento da minha primeira neta. Estava despreparada para a alegria incrível que nasceu em meu coração quando ela nasceu. O nascimento ativou um processo profundo no meu coração. É como se algo em meu coração se abrisse pela primeira vez, uma nova vulnerabilidade, enquanto eu segurava nos braços a minha neta pela primeira vez. A alegria e a ligação que eu sentia com ela eram mágicas e profundas, permitindo que uma nova abertura ocorresse dentro do meu coração.

No retorno para casa essa vulnerabilidade se aprofundou, até chegar ao ponto em que eu senti que precisava de descanso. Eu não entendia o que estava acontecendo. Era uma sensação de estar fora de controle e totalmente exposta. Fiquei tão perturbada com essa experiência que no final do dia, quando estava fechando a garagem, prendi três dedos na porta. A dor foi extrema, e eu experimentei uma sensação chocante de pavor percorrendo meu corpo. Foi um sentimento tão intenso, e ainda assim, estranhamente, uma sensação muito familiar ao mesmo tempo.

No hospital eu não conseguia parar de chorar, e não sabia por quê. Mas meu coração estava doendo e eu sentia muito medo, quase terror, por causa de alguma coisa. Os três dedos estavam fraturados e o médico me disse que eu precisaria de três semanas de descanso para que eles se curassem.

Os sentimentos dentro de mim continuaram a acelerar, e eu estava mergulhando em experiências que não entendia. Senti como se meu senso de realidade desaparecesse, e a sensação de terror e de estar fora de controle aumentou. Percebi que aquilo tinha algo a ver com o meu passado, com a minha infância, e eu precisava de ajuda. Comecei a perceber que estava tendo lampejos do passado, embora essas lembranças fossem novas, e os sentimentos e experiências daquela época parecessem estar acontecendo comigo no presente.

Rezei para encontrar um terapeuta que pudesse me ajudar a atravessar o labirinto de flashbacks. Concederam-me um milagre e encontrei uma terapeuta especializada em vítimas de abuso em rituais de cultos. Voei para Los Angeles para me consultar com ela. Depois de dois dias de terapia, ela disse: "As coisas provavelmente vão começar a ficar muito piores antes de melhorar". Ela estava certa.

Esse foi o início do retorno das lembranças do pesadelo terrível que foi minha infância. Minha família praticava um culto, e nesse culto eu fui submetida a muitos abusos e práticas traumáticas quando criança. Minha mãe teve poliomielite quando eu tinha 1 ano de idade. Ela ficou aleijada pelo resto da vida, e eu me tornei o bode expiatório para a sua dor e raiva. Ela me via como a causa da sua poliomielite. Se eu não tivesse nascido, ela não teria ficado doente. Um acordo foi feito entre meus pais e o culto: eu seria oferecida a eles, para participar dos seus muitos rituais, em troca de cura da minha mãe. Em casa eu fazia parte de um triângulo sexual com minha mãe e meu pai, por isso a minha vida foi dominada por essas inúmeras experiências traumáticas, e, aos meus olhos, eu estava irremediavelmente perdida.

Essas lembranças aceleraram e assumiram totalmente o controle sobre a minha vida nos três ou quatro anos seguintes. Eu vivia tendo flashbacks, revivendo uma experiência horrível após outra. Durante um período fiquei totalmente fora de controle e vivia em constante terror. Tive que me mudar para Los Angeles para ficar mais perto da minha terapeuta, e parei de trabalhar por três meses, de modo que pudesse fazer terapia durante dezesseis horas por semana. Só conseguia deixar meu apartamento para ir à terapia; o resto do tempo eu vivia aterrorizada, enquanto descobria um caminho através do labirinto de horror. Eu só queria que aquilo terminasse. Fui obrigada a sentir o que eu tinha enterrado dentro de mim — enterrado muito fundo para poder sobreviver. Eu desejei a morte, e lembro-me de ter desejado a morte quando criança.

Esse processo de cura parecia interminável, mas, enquanto eu passava por tudo isso, Mãe Maria estava comigo, me dando o suporte e a coragem para sentir a tremenda dor e o sofrimento. Ela amparou as partes da criança interior e deu-me a possibilidade de chegar a essas partes de mim que tinham se separado a fim de sobreviver ao horror do que eu tinha vivido no culto. Mal posso acreditar em como fui amparada durante esse pesadelo. Os Anjos me cercaram e me mantiveram segura ao longo dos períodos mais sombrios.

Minha crença, na infância, de que estava sozinha, completamente abandonada, mudou quando comecei a ressuscitar a mim mesma. Quando voltei para as lembranças, foi-me mostrado que os Anjos haviam estado comigo durante todas as experiências terríveis pelas quais passei. Mas eu tinha optado por me fechar quando criança, para poder simplesmente sobreviver. Eu não conseguia sentir a ajuda que havia ali para mim naquela época.

À medida que continuei a terapia, a cura aconteceu; milagres aconteceram. Com a ajuda da minha terapeuta atravessei as camadas de memória que vieram à tona com dor, culpa, tristeza e raiva. Comecei a me conectar com uma nova parte de mim, e a sentir a minha criança interior e a me conectar com ela. Essas eram as partes mais corajosas do meu ser: as crianças interiores que assumiram as experiências mais dolorosas e chocantes pelas quais passei. Se essas partes não fizessem isso, eu nunca teria sobrevivido ao meu calvário.

Então, à medida que ressuscitei essas partes infantis em mim mesma, comecei a me curar, e mais de mim mesma se tornou disponível. Comecei a me sentir mais segura por dentro no mundo lá fora e mais estável e completa no meu mundo interior. Eu podia me sentir voltando à vida, de modo que eu era capaz de simplesmente sentir mais, sentir mais alegria na minha vida, ficar mais presente em cada momento, e ficar mais conectada à minha vida. Eu conseguia ser uma parte do que estava acontecendo no mundo à minha volta no dia a dia. Estava com muito menos medo, e me sentia mais capaz de lidar com o fato de viver neste mundo. Comecei a desenvolver uma compreensão de mim mesma e de como eu estava me sentindo de fato a cada momento; era muito mais honesta comigo mesma e com os meus sentimentos. Comecei a me sentir livre e a ser mais autenticamente *eu mesma*. Era uma grande sensação de ser capaz de depender de mim mesma e de saber como eu estava me sentindo, e não ser mais vítima, reagindo ao mundo exterior. Eu era capaz de confiar na minha capacidade de me estabilizar.

Foi bom ser capaz de me conectar e me entender com as partes infantis dentro de mim, e ser capaz de acabar com a longa separação que tinha ocorrido dentro de mim. Eu poderia depender de mim mesma para me cuidar e amparar as partes infantis dentro de mim, de modo que uma relação terapêutica pôde se estabelecer entre mim e minhas crianças interiores. Eu tinha que me tornar uma mãe para elas, dando-lhes estabilidade e amor, e isso permitiu que essas crianças começassem a crescer. Quando elas começaram a se sentir seguras e ouvidas, passaram a confiar que eu as apoiaria. Quando começaram a confiar em mim, passaram a vivenciar uma ressurreição, conseguiram se afastar da dor do passado, e depois foram capazes de estar aqui nesta vida que estávamos vivendo e de se sentir amparadas em um lugar seguro e cheio de amor.

Minhas crianças interiores me levaram a restabelecer o contato com uma parte inocente de mim. Através de seus olhos eu pude experimentar o mundo de modo diferente. Elas me trouxeram para um mundo de deslumbramento e para uma nova maneira de apreciar a beleza da natureza e a alegria de viver.

Havia muito mais de mim disponível agora. Uma parte nova e autêntica minha estava surgindo e, à medida que eu emergia, aumentava a minha conexão com os Reinos Espirituais. Meu canal ficou mais claro e por isso as minhas habilidades de comunicação com os Pleiadianos, o Espírito e as Forças da Natureza aumentaram. Senti como se um enorme fardo estivesse sendo retirado de mim. Eu estava realmente tirando-o dos meus ombros, enquanto ressuscitava para um novo entendimento e uma nova verdade. Eu ressuscitava a mim mesma.

Sou eternamente grata pela ajuda de Mãe Maria ao longo de todo esse período. Eu nunca poderia ter dado esses passos sozinha, e foram muitos os milagres ligados à minha cura e ao amor sem fim de Mãe Maria.

Quando finalmente voltei a trabalhar, pude sentir um novo sentimento de conexão comigo mesma e com o Espírito. Os tempos ainda não eram fáceis, mas quando estava trabalhando eu me sentia em perfeito alinhamento com o Espírito e os Pleiadianos; e quando terminava o trabalho, eu voltava a lidar com as partes de mim que ainda estavam se curando. Havia ainda o medo e alguns flashbacks, e eu tinha que continuar comprometida com a minha cura total e continuar enfrentando o meu processo. Não foi fácil. Eu me consultava com a minha terapeuta por telefone, quando viajava a trabalho, e quando voltava para casa continuava a terapia durante doze horas por semana. Meu processo de cura continuou pelos quatro anos seguintes. Eu estava muito melhor. Já tinha conseguido me mudar de Los Angeles e, quando estava em casa, falava com a minha terapeuta uma vez por semana.

Esse processo de cura foi profundo. Eu continuo a ter um profundo sentimento de liberdade e uma profunda conexão com meu eu interior. Minhas crianças interiores e eu voltamos a nos reunir, e eu sou muito grata pela minha cura.

Lidar com essa parte do meu passado foi a coisa mais difícil que eu já fiz, e eu acredito que não teria conseguido lidar com ele antes. Foi a minha forte ligação com Mãe Maria, o Espírito e os Pleiadianos que tornou possível que eu mergulhasse no mais profundo inferno para encontrar essas crianças interiores e me ressuscitasse. Sem essas alianças, eu não teria sido capaz de me abrir para encontrar essas memórias e os traumas profundos que havia dentro de mim.

Em junho de 2008, eu estava trabalhando em um mosteiro perto de Banneux, que é um local sagrado onde Mãe Maria tinha aparecido muitas vezes a uma menina em 1933. Uma pequena comunidade tinha sido construída na região onde ocorreram as muitas aparições. Eu fui fortemente atraída para Banneux e, todas as tardes, depois de terminar o trabalho, ia a pé até o santuário, onde conseguia sentir a presença forte de Maria. Todo dia eu era atraída como um ímã para as diferentes áreas onde ela tinha aparecido havia muito tempo. Maria me cumprimentava com muito amor cada vez que eu ia, e meu coração ficava profundamente tocado nesses encontros. Eu não entendia direito o que estava acontecendo durante essas experiências, mas sabia que estava em meio a alguns processos importantes e profundos de transformação com ela. Maria continuou me lembrando de que estava ali para me apoiar nas diferentes fases da minha jornada e estaria sempre me amparando. Essas experiências com ela não eram estranhas para mim, pois eu já tinha tido muitos encontros com as energias de Mãe Maria em Israel e em Medjugorje. Ela sempre me aparecia nos momentos críticos na minha vida.

Nos três dias seguintes ao meu encontro com ela, eu pude sentir meu coração se expandindo mais e mais. Fui dormir na terceira noite, e algum tempo depois, no meio da noite, acordei e descobri que estava fora do meu corpo. Estava tentando voltar ao corpo, mas não conseguia. Estava desorientada e confusa. Por que eu não conseguia voltar ao meu corpo? Estendi a mão e toquei o meu corpo e ele estava gelado. O que estava se passando? O que estava acontecendo? Senti um pânico dentro de mim quando de repente percebi que meu corpo já não estava respirando. Eu tinha morrido!

Senti como se alguma coisa tivesse me atingido com força naquele momento. Não conseguia respirar, não podia pensar. Nada do que eu sabia fazia sentido e comecei a entrar numa espiral de pânico total. De repente, Maria apareceu ao meu lado e sua luz e seu calor me acalmaram imediatamente. Ela me disse que eu tinha concluído tudo o que viera realizar aqui; tinha completado todas as transformações pessoais que traçara para mim nesta vida.

Eu havia concluído tudo muito mais cedo do que o esperado, e minha vida tinha chegado ao fim.

Ela estava bastante calma e realista com respeito à minha situação, e falava sobre ela sem fazer drama. Mas eu estava muito preocupada, muito perturbada com a notícia. Queria voltar, não estava pronta para deixar a minha vida! Algo precisava ser feito. Eu disse a ela da minha necessidade de estar aqui no planeta, nesta vida e neste corpo, e do trabalho que eu ainda tinha que terminar. Pedi-lhe que me ajudasse a voltar.

Ela explicou que uma vez que um projeto é concluído, a vida acaba para aquela pessoa. Não se pode estar no plano terrestre sem um projeto em curso. Toda pessoa que vem aqui para o plano terrestre, cria uma matriz energética para si mesma antes de entrar nesta vida. Essa matriz contém o que ela pretende realizar dentro de si mesma aqui em sua vida. A fim de voltar para o meu corpo e continuar a minha vida, eu teria que criar um novo projeto para mim para esta vida.

Concordei em criar um novo projeto para mim. Maria me segurou em seus braços e me senti como uma criança recém-nascida. Ela me abraçou com amor, enquanto eu me abria à energia para criar a minha nova matriz. Enquanto fazia isso eu fiquei repleta com a luz de Maria e da sua compaixão. Eu podia sentir uma nova energia vital me preenchendo, e minha nova energia se abrindo através da consciência. Quando o novo projeto foi concluído, eu estava em um estado de profunda união com Mãe Maria. Ela me disse que eu poderia agora voltar a entrar no meu corpo físico e colocar as mãos no meu peito. Eu voltei a entrar no meu corpo e coloquei as mãos no peito. Senti um movimento da força vital através de todas as minhas células, à medida que o meu corpo revivia. Senti um enorme alívio por estar de volta no meu corpo, e de volta à minha vida. Eu senti muita gratidão por minha vida, muita alegria por estar viva. Eu nunca tinha percebido o quanto precisava estar aqui e como era importante para mim estar neste plano terrestre neste momento. Todo dia sou preenchida pelo mesmo sentimento de gratidão que senti naquele momento em que voltei ao meu corpo: uma outra chance de estar aqui, e de viver mais conscientemente.

Dois dias depois, eu estava no meio do meu dia de trabalho quando de repente Mãe Maria apareceu para mim. Ela estendia as mãos em minha direção, e sua energia estava fluindo a partir delas para mim. Fiquei repleta de um imenso amor e paz, e ao mesmo tempo, podia sentir um ajuste energético dentro do meu corpo, como se eu pudesse respirar pela primeira vez, desde a minha experiência de dois dias antes. Seu amor apenas me amparou, e ela então desapareceu. Ela reapareceu nos dois dias consecutivos, só para me transmitir sua luz e então desaparecer. A cada vez, eu sentia um outro nível de integração energética através das minhas células, embora emocionalmente eu ainda estivesse me recuperando da experiência.

Muitos meses se passaram e eu me afastei dessa experiência até que eu já não estava consciente de ter passado por ela. Era como se ela nunca tivesse acontecido. Então, um dia um amigo, a quem eu tinha contado essa experiência, voltou a ter contato comigo. A primeira coisa que ele me perguntou foi: "Como você tem passado desde a sua experiência de morte?" Fiquei chocada com as palavras dele, e aquilo trouxe a experiência de volta para mim como se tivesse acabado de acontecer. Minha mente começou a entrar em pânico, conforme eu revivia aquele momento em que tinha deixado de estar viva. Então percebi o quão profundamente eu tinha sido traumatizada. Comecei a reexaminar com cuidado os meus sentimentos daquela época e me permiti sentir a profundidade deles. À medida que fazia isso eu comecei a compreender a importância da minha experiência de morte. Eu fui capaz de me sentir e sentir a vulnerabilidade que se apossou de mim quando o meu coração se expandiu com Maria. Foi quando ela me abraçou, quando criei o meu novo projeto, que eu me transferi para um lugar mais profundo dentro do meu próprio coração. Eu criei o projeto através do meu Coração Sagrado, o lugar mais amplo dentro do meu coração, e naquele momento, ele me levou a outro lugar dentro de mim.

Que parte de mim decidiu criá-lo? O que eu criei no meu novo projeto? Eu me abri para voltar e revisitar a experiência completa, o que foi difícil — sentir a profundidade da minha vulnerabilidade durante a criação do meu projeto. Eu soube imediatamente que se tratava de uma abertura ampliada do meu Coração Sagrado. A minha luz e a minha consciência foram capazes de penetrar nessa abertura do meu coração naquele momento e comecei a vivenciar uma nova profundidade de conexão com todos os níveis da consciência.

Quando fiz isso, consegui me abrir para a informação que aguardava o momento em que eu fosse capaz de recebê-la. Conscientemente me abri para o meu coração e disse: "Sim, estou pronta para me abrir a essa verdade da minha experiência. Estou pronta para sentir!"

Quando conscientemente me abri para voltar à experiência pude ver uma luz azul brilhante expandindo-se no meu corpo físico, efervescente na forma e cheia de luzes em formato de losangos. Essas formas preencheram o meu corpo, e quando elas entraram em mim, houve uma mistura de energia através do meu corpo.

Essa mistura criou profundas conexões energéticas com os aspectos multidimensionais do meu Self.

Neste momento meu eu consciente renasceu na minha forma, levando-me a me alinhar com uma verdade e uma compreensão profundas da minha nova missão para o resto da minha vida, para os detalhes do meu novo projeto. Meu coração começou a se conectar conscientemente com a energia da minha missão. Foi-me concedida uma profunda religação do aspecto amoroso com o aspecto divino único dentro de mim mesma. Senti uma imensa graça nesse momento.

Eu, conscientemente, me abri para a minha transformação e para a verdade de tudo o que sou agora, de tudo a que eu disse *sim*. Foi como me reivindicar conscientemente naquele momento, e uma consolidação da minha experiência começou a tomar forma através dos meus corpos físico, espiritual e emocional. Comecei a entender por que eu precisara de tempo para levar minha experiência de morte à consciência. A profunda vulnerabilidade que foi criada durante a experiência foi demais para eu aceitar. Precisava primeiramente de tempo para processar a sua profundidade e digerir as mudanças energéticas.

Sei agora que essa nova vulnerabilidade criou uma nova força dentro de mim. Ela abriu meu coração para um novo nível de compaixão e me deu um acesso maior à Verdade Universal e a um entendimento dessa Verdade. Eu vivo cada dia com um novo nível de consciência da luz e do meu lugar dentro dela, trabalhando com essa consciência como uma parte verdadeira da Unidade — do Todo. Meu mundo inteiro se transformou inteiramente e continua a se abrir mais a cada dia.

Exatamente um ano depois dessa experiência, eu estava de volta a Belguim, trabalhando cerca de uma hora de distância de Banneux.

Fui atraída de volta para o lugar sagrado e passei a tarde com Mãe Maria, nos inúmeros lugares sagrados onde ela apareceu. Foi um presente poder estar de volta a esse lugar e experimentar uma vez mais a presença do seu amor e da sua energia comigo, enquanto eu caminhava através das diferentes regiões de Banneux. Ela ficou muito perto de mim durante a semana em que eu comemorei o aniversário da minha experiência de morte — na verdade, para ser mais exata, minha nova experiência de vida!

É uma coisa incrível poder estar agora tão alinhada com a Consciência Universal e fazer parte dela, num nível completamente novo; percorrer o mundo com o meu coração ressuscitado e sentir a profundidade de todas as coisas. Minha gratidão cresce a cada dia enquanto eu continuo a me desenvolver dentro de mim.

Continuo a minha jornada diária, comprometida com cada momento da vida, sabendo que a vida é, verdadeiramente, o Mestre, e eu posso descansar, certa de que a Verdade me está sendo revelada a cada momento. É com grande alegria e gratidão que eu vivo esta vida agora.

Assim seja!

Trabalhando com a Criança Interior

Eu quero chamar a sua atenção para um aspecto importante de você mesmo que precisa ser tratado enquanto você trabalha com os capítulos deste livro. Saiba que, para se abrir de modo mais completo para esse novo nível de si mesmo, você precisa ter uma relação de trabalho com sua criança interior. Sua jornada para o Self não pode ser concluída sem essa conexão consciente com a sua criança interior. A ligação com a sua criança é um grande incentivo na jornada com as suas Iniciações com os Pleiadianos. Eu quero falar sobre a criança interior, para que você possa travar conhecimento ou expandir o seu relacionamento com essa criança dentro de você.

Alguns tiveram uma infância maravilhosa, saudável, em que foram amados e bem cuidados. Mas há muitos que tiveram uma infância difícil, talvez com eventos muito traumáticos ou muitos abusos. É irrelevante o tipo de infância que você viveu. O importante é que você comece a se conectar com a sua criança interior e/ou expandir a conexão que você já tem. Você precisa da energia dessa criança na sua vida, e essa criança precisa dessa conexão com você.

Ninguém tem uma infância perfeita; sempre há eventos e experiências que o afetam, e algumas dessas coisas ainda o afetam hoje. Há situações da sua infância que interferem no seu dia a dia como adulto, em suas relações pessoais, no seu jeito de criar seus próprios filhos, e na forma como você interage com outras pessoas.

É bastante importante ter um relacionamento com a sua criança interior durante essas Iniciações porque, quando se abre para essas energias, você começa a se transformar. Você começa a sair da separação, alinhando-se de maneira mais completa com o Self de luz, que o leva cada vez mais para perto da Consciência Universal e da Unidade. Você não consegue entrar inteiramente no seu lugar dentro desses espaços, enquanto está separado de sua criança interior. É preciso que haja uma cura — uma aproximação entre você e sua criança interior.

Você vai descobrir que, à medida que o seu relacionamento se aprofunda com a sua criança, vocês se fundem e, juntos, passam pelos processos de Iniciação. A criança tem uma inocência e pureza que o ajudará em sua jornada para casa: de volta para si mesmo. Eu não posso enfatizar o suficiente o quanto isso é importante.

Sou eternamente grata às minhas crianças interiores pela coragem que tiveram, por guardarem tanto da minha dor do passado. Agora elas me mostram um mundo novo com a sua inocência, alegria e amor. Passei a perceber que eu precisava desse aspecto de mim mesma. Ele trouxe muito mais equilíbrio à minha vida e me propiciou uma conexão mais forte com o amor que existe dentro do Universo. Permitiu-me que eu não me sentisse sozinha neste planeta.

Quando você se realinhar com a sua criança interior, descobrirá que o seu mundo ficará mais fluido e você terá mais clareza sobre o que está acontecendo à sua volta e sobre como você se sente. Vai se sentir mais completo, mais relaxado, e inteiro.

Vamos falar sobre o processo da infância: como a criança pensa e age no mundo.

Quando crianças, pensamos que estamos no controle, que somos responsáveis por tudo o que acontece à nossa volta e conosco. É o que eu chamo de "pensamento mágico". As crianças pensam dessa maneira porque, na realidade, elas são completamente vulneráveis: dependem dos adultos à sua volta para cuidar delas e lhes dar amor. Pensa que desse modo ela vai estar no controle, mas, na realidade, a criança pode ter tudo menos o controle. Toda criança precisa de amor e, na busca por amor, descobre rapidamente o que precisa fazer e como precisa agir para obter esse amor.

Num relacionamento saudável com os pais, isso não é um problema tão grande. Mas em relacionamentos doentios, a criança aprende a fazer qualquer coisa para conseguir amor. Quando não consegue, pensa: "Acho que eu não sou bonzinho" ou "Deve haver algo errado comigo".

Se os pais brigam, se os pais estão com raiva, se os pais se separam, ou se eles maltratam fisicamente a criança, ela pensa "Se eu tivesse sido bem boazinha, isso não teria acontecido", ou "A culpa é minha". A criança personaliza o que está acontecendo ao redor de si. Sente-se responsável e, por se sentir responsável, também se sente no controle. É mais seguro se sentir no controle do que impotente, porque o fato de ser indefesa causa muita dor. Você não pode sobreviver com o desamparo, por isso, para sobreviver, a criança assume total responsabilidade por tudo o que acontece. A criança se sente responsável pela mãe ou pelo pai bravo, triste ou que a maltrata. A responsabilidade então cria uma culpa, uma vergonha e autoaversão enormes.

À medida que crescemos e nos tornamos adultos, trazemos conosco essas questões da infância, trancadas na nossa criança interior, e que afetam nossas vidas e nossas relações com os outros. Podemos nos isolar, não deixando que as outras pessoas entrem no nosso espaço pessoal. Temos a certeza de que, estando sozinhos, estaremos seguros. Também podemos recriar um relacionamento abusivo em que não recebemos o amor de que precisamos ou podemos ser o agressor na relação. Podemos recriar os maus-tratos físicos em nosso relacionamento, ou podemos até mesmo nos tornar nossos próprios agressores. A menos que obtenhamos ajuda para quebrar o ciclo, temos a tendência de recriar nos nossos relacionamentos adultos os padrões das nossas relações com nossos pais ou cuidadores.

Seu passado também vai afetar a maneira como você cuida de si mesmo agora, até que ponto você se permite ter conforto físico, e o que você propicia para si em termos de descanso e relaxamento — como você alimenta o seu corpo físico. Um pouco dessa dor pode ser expressa pelo modo como você se pressiona constantemente: sempre trabalhando, nunca dando a si mesmo tempo para descansar, nunca se dando nenhuma atenção amorosa. Isso irá afetar a maneira como você consegue receber amor e o jeito pelo qual você se permite simplesmente ser no mundo.

Cada um de nós tem uma criança dentro de si. Cabe a nós chegar até ela e entrar em contato com essa criança. Ao fazer isso, sua criança começa a avançar para se encontrar com você. Você pode fazer isso; trata-se de recuperar uma parte perdida de si mesmo.

Vamos falar sobre outro processo que ocorre quando há um grande número de abusos e/ou traumas na infância. Quando a dor e o medo são grandes demais para se lidar quando somos crianças, as partes infantis se dividem. Uma parte da criança guarda a dor e a experiência de medo, de modo que a outra parte da sua criança possa sobreviver. Alguns de nós, adultos, temos mais de uma parte infantil. A fim de curar e trazer de volta essas partes crianças que estão guardando o trauma do passado, você precisa ser capaz de se abrir e dar acesso à criança que está guardando a lembrança desse tempo. Permitir que a parte criança seja capaz de reconhecer os sentimentos que estão relacionados com os incidentes do passado.

Eu chamo esse processo de ressuscitar a criança porque, enquanto essa parte criança ainda está guardando a dor, ela fica escondida bem dentro de você. A única realidade que essa parte criança dentro de você tem é o passado, então essa parte fica constantemente com medo, e o tempo se interrompe para ela; portanto, essa parte criança desconhece que você é agora um adulto e sua vida mudou. A única maneira de você vivenciar essa criança interior é passar por um incidente em sua vida que espelhe algum aspecto da infância em que o trauma aconteceu. Pode ser um cheiro, uma música ou o som de uma voz; pode ser uma pessoa que faça você se lembrar de alguém que foi parte do trauma; pode ser uma emoção semelhante, que esteja brotando dentro de você e que espelhe o seu trauma passado.

A primeira coisa a entender, quando você está tentando se aproximar dessa criança em crise, é que o único elemento importante para a cura é se voltar para o sentimento — acessar o sentimento da criança dentro de você. Para fazer isso, você precisa primeiro começar a estabelecer a confiança entre você e a criança. A confiança só pode ser estabelecida se você estiver disposto a ser coerente com ela, cumprindo promessas e dedicando-lhe um pouco de tempo todos os dias (talvez 10 minutos para começar); então você pode estabelecer uma conexão e um relacionamento com a sua criança.

Para começar, você pode simplesmente conversar com a criança interior, explicar que você deseja se reconectar com ela e pedir que ela venha e fique com você. Andar a pé em meio à natureza e apreciar as flores com a criança, as aves, olhando o céu, todas essas coisas são uma boa maneira de começar a entrar em contato com a criança. O desenho é também uma ótima maneira para que a criança tenha tempo de se conectar com você. Deixe que ela escolha um lápis de cor e desenhe; deixe que a criança tenha um veículo para se expressar. A criança vai responder a você, basta ser coerente e ter paciência.

Ao fazer isso, a criança vai surgir e, quando ela começar a se aproximar, você se abre para a próxima etapa de apoio a essa criança. Quando apoiar a criança, você vai começar a se conectar com os sentimentos que estão ali. Alguns desses sentimentos são profundos. Permita-se sentir e lembrá-la de que ela está recordando e sentindo algo que aconteceu há muito tempo, e de que ela está bastante segura agora com você. Apenas continue apoiando essa sua parte criança e deixe que os sentimentos continuem a aflorar.

Um passo importante é deixar a criança saber que os tempos mudaram, que você não é mais criança e, como adulto, pode proteger essa criança interior. Use exemplos, tais como onde você vive agora e as diferenças em seu entorno com relação ao lugar onde você costumava morar. Deixe a criança interior saber que você não vai deixar ninguém machucá-la novamente e que você pode mantê-la segura.

Esse é um passo importante de cura, que começa a ressuscitar uma parte interior sua; então você é capaz de lembrar e ressuscitar as partes de si mesmo. Você começa a se mover na direção de um tipo diferente de totalidade. À medida que essa inteireza se desenvolve e se aprofunda, você sente uma nova sensação de leveza e alegria entrar em sua vida. Para aqueles que passaram por abusos graves na infância, esse processo provavelmente precisará do apoio de um terapeuta. A razão é que, à medida que as lembranças afloram, você vai precisar de um processo mais profundo que o mencionado anteriormente. Quando o trauma passado começa a vir à superfície, podem surgir muitas camadas a serem tratadas. Para mim, não havia nenhuma maneira de conseguir passar sozinha pela enorme quantidade de dor e terror que estava trancada dentro de mim.

A ressurreição dessas partes crianças é importante porque coloca um fim na separação que existe dentro de você. Isso faz parte do trabalho que vamos fazer neste livro. Em seu despertar espiritual, você põe fim à separação, voltando ao aspecto de luz do seu Self. Cada passo que você der com essa criança vai ajudá-lo em cada passo de suas Iniciações dentro de cada capítulo.

A Iniciação Pleiadiana

Agora é hora de passar para a seção das Iniciações pleiadianas deste livro. Cada capítulo baseia-se no capítulo anterior, por isso é aconselhável que você trabalhe capítulo por capítulo, ouvindo, no site, as faixas associadas a cada capítulo, na ordem numerada.

Tenha uma jornada maravilhosa. Eu honro cada um de vocês enquanto a empreendem para o interior de si mesmos.

Mensagem dos Pleiadianos

Meu amado, estamos aqui para ajudá-lo a voltar para o alinhamento com o seu Self natural. Durante muitas vidas você esteve separado do Todo. Agora é a hora de voltar para casa, de voltar e ocupar o seu lugar dentro do Todo. Você é necessário; sentimos sua falta. É para você acordar agora, acordar para seu aspecto único do Todo Divino, para ocupar o seu lugar.

Nós projetamos este livro para iniciá-lo energeticamente, de modo que você possa voltar a se alinhar novamente com o Self. Estamos empenhados em ajudá-lo, mantendo espaços dimensionais de energia abertos enquanto você dá à luz a si mesmo, e abertos para que você se lembre da Verdade Universal e se alinhe com ela, afastando-se das ilusões da terceira dimensão. Ressuscitando a si mesmo e alinhando-se novamente com a realidade da quarta/quinta dimensão. É hora de você, do seu planeta, se realinharem. É um momento emocionante para você despertar e lembrar-se. Trata-se do processo de trazer você de volta para uma memória do Self. É por isso que é chamado de despertar!

Este despertar está sendo assistido por uma nova energia que está apenas começando a ser ancorada e ativada neste plano terrestre. Sua transmissão começou em 1º de janeiro de 2009. Isso é conhecido como a "Profecia de Autocura". A energia dessa Profecia sempre teve a intenção de estar ancorada neste momento em seu planeta. O seu ritmo está perfeitamente alinhado para auxiliá-lo a se adaptar à transição energética que está ocorrendo aqui em seu planeta. Nós, os Pleiadianos, temos um papel a desempenhar no processo de consolidação dos vários níveis dessa energia de despertar. Os novos níveis serão ancorados, à medida que você estiver pronto para recebê-los. Entenda que existem muitas camadas dimensionais para as energias da Profecia. Elas serão transmitidas para o plano terreno em diferentes níveis, conforme você estiver pronto para recebê-las. As energias da Profecia são para você, individualmente, e também para a Consciência Coletiva do seu planeta. Isso envolve as energias da própria Terra, afetando as linhas do Circuito energético que atravessam a Terra.

O que é essa energia e por que ela está aqui?

Essa energia da Profecia é um dom que foi concedido a todos os seres humanos para ajudá-los no despertar acelerado da lembrança da Verdade sobre si mesmos. Ela é projetada para levar você a um estado de "lembrança": lembrar quem você é no seu ser espiritual e o seu lugar dentro da Consciência Coletiva nos Reinos Universais. A energia da Profecia de Autocura vai ajudá-lo a se alinhar mais profundamente com seu Self, a se conectar com os aspectos mais elevados do seu ser. Esse é um período de graça concedido a todos vocês neste momento. Ele foi ativado agora para que possa haver uma enorme mudança na "consciência" de seu planeta agora. Isso significa que as energias da Profecia vão levantar os véus que têm estado neste planeta há muitas vidas. Com o levantamento desses véus, você será capaz de despertar em um nível espiritual, a um ritmo acelerado. Ele vai levá-lo a um novo alinhamento com toda a força da vida no Universo. Você será conscientemente conectado e ficará mais consciente da força vital dentro de você, e da força vital dentro de cada indivíduo. Isso levará você a uma experiência de Unidade com todas as coisas, e você começará a se lembrar do seu lugar dentro da Unidade.

A Profecia de Autocura vai ajudá-lo a acessar e abrir a sua consciência para os diferentes reinos dimensionais que existem. Isso irá permitir que você comece um processo de realinhamento com aspectos do seu Self multidimensional, reconectando-se novamente a esses aspectos e iniciando-se neles. À medida que começar a se abrir para essa religação consciente, você será capaz de recuperar o seu poder pessoal, realinhar-se com ele e integrar essa energia nas células do seu corpo. Você será capaz de utilizar esse conhecimento e energia nesta vida, agora.

Essa Profecia de Autocura vai ancorar seus níveis dimensionais mais profundos entre 2010 e 2012.

Como a energia da Profecia é projetada para ajudá-lo a alcançar o que você veio fazer aqui nesta vida? Como é que ela pode ajudar você agora na sua vida? Vamos falar sobre a energia dessa profecia e sobre como ela é concebida para atuar dentro da sua comunidade e dentro de você, como indivíduo.

Uma das principais funções da Profecia de Autocura é ajudar a acabar com a separação no plano terreno. Com essa energia, que traz a sua consciência de volta para uma experiência direta com a Unidade, você pode viver conscientemente a experiência da Unidade aqui neste plano terrestre, com as outras pessoas e com todos os seres vivos. A cura da separação começa com os indivíduos, terminando primeiramente com a separação dentro deles mesmos.

Como indivíduo, você está agora sendo solicitado a olhar dentro de si e a se abrir para todos os juízos que faz de si mesmo; os fatores de separação que mantêm seu coração fechado e não permitem que você receba e floresça. Essa é uma autopunição por meio dos julgamentos que você inflige contra si mesmo. Esses julgamentos lhe causam dor emocional e física. É hora de você se voltar para si mesmo, acolhendo-se com amor; apenas respirando e liberando esses julgamentos. Mantenha-se no amor e na compaixão por esta vida que você viveu até este ponto. Você tem feito o melhor que pode a cada momento. Você veio aqui para este mundo para ter todos os tipos de experiência. Os erros são uma parte importante dessas experiências.

Você começará a compreender as experiências de aprendizagem que tem recebido ao viver a sua história. Referimo-nos à sua vida como a sua "história" porque isso é justamente o que ela é, uma história que lhe proporcionou tudo o que você é neste momento. Mas chegou a hora de abandonar essa história. Você dá passos muito importantes e poderosos quando deixa para trás a sua história.

Você tem, todos têm uma história; todos vocês sobreviveram a experiências dolorosas, e uma pessoa não teve mais do que outra. Diferentes experiências sim, mas não mais. Esta é a hora de você deixar para trás a sua história e seguir em frente, em direção a si mesmo, rumo ao amor e à compaixão por você mesmo.

Os autojulgamentos são um empecilho ao amor essencial por si próprio. Quando você julga a si mesmo, automaticamente julga os outros, e o amor essencial se fecha. Conflitos internos se iniciam — conflitos energéticos que impedem ainda mais a passagem do amor — construindo muros, não deixando que as pessoas entrem, e fechando você para o amor. Isso cria um sentimento de solidão, separação e desespero.

É hora de romper as barreiras para que você possa receber as energias da Profecia da Autocura, receber esse dom de si mesmo, esse dom do amor.

O primeiro passo é celebrar a si mesmo, a vida que você viveu até hoje e voltar-se para si mesmo com amor, acolhendo seu coração e respirando isso. Mantenha sua vida em sua consciência, assim como você a tem vivido, e respire. Você tem vivido da forma que você precisava. Quando você se voltar para si mesmo com amor, celebrando todas as experiências da sua vida, você começará a deixar para trás a separação de si mesmo e a se aproximar de um novo alinhamento dentro do seu coração. Continue sustentando-se e à sua vida com amor e respirando. Seja paciente. Siga o seu próprio ritmo. Então solte seus conflitos interiores.

Quando os muros começarem a vir abaixo, você vai começar a poder utilizar a energia dessa Profecia, alinhando-se com os aspectos do seu direito natural, que é a abundância em todos os níveis. Ele vai abri-lo para trabalhar com seu estado físico natural de autocura, e torná-lo consciente da cocriação de seu mundo e cocriando sua abun-

dância em todos os níveis. Você começará a se alinhar com os aspectos de luz mais elevados do seu Self, ressuscitando do autojulgamento e abrindo-se para um novo senso de liberdade na sua vida e em si mesmo. A energia da Profecia é projetada para despertá-lo para uma nova leveza de espírito e um novo sentido de si mesmo no mundo e na Consciência Universal.

A Profecia acelera a sua capacidade de adquirir uma nova consciência do seu papel neste planeta e do apoio que existe para você no Universo. À medida que despertar para a verdade do seu alinhamento e do seu lugar dentro dessa Consciência Universal, você pode se abrir para os aspectos ilimitados do Self, que o ligam a um profundo entendimento e conhecimento do seu lugar dentro do Todo. As energias o levarão a um estado mais profundo de Unidade, de volta à verdade de si mesmo, e ao amor incondicional que existe dentro dessa conexão.

Enquanto você se abre para essa verdade, o amor cria uma abertura para todas as pessoas do seu mundo. Seu coração será capaz de se transformar com essas novas energias, e você começará a trabalhar a partir do seu Coração Sagrado. Seu coração compassivo começará a transmitir o amor. Você vai começar a sentir uma verdadeira conexão com as outras pessoas no nível do coração. Essas conexões no nível do coração são importantes. São necessárias para o despertar de todas os seres humanos, para as ligações anímicas e para os grupos anímicos que se reunirão. As energias da Profecia ajudarão esses grupos a se reunir. A energia da Profecia também foi projetada para você se tornar mais alinhado com as Energias Espirituais de uma maneira nova, com uma conexão mais profunda e mais consciente, de modo que você possa trabalhar em parceria com o Espírito e com os Reinos Energéticos. O Espírito irá ajudá-lo a realinhar-se com a sua matriz energética, que você criou para si mesmo antes de chegar a este planeta para viver a sua vida. É a sua missão.

À medida que o conflito interno consigo mesmo se transforma, aqueles com outras pessoas da sua vida também mudam. A separação acaba e o amor toma o seu lugar. Seu mundo vai se transformar, com esse amor consciente crescendo.

Quando o amor começar a crescer com você e com os outros, o Espírito vai começar a tomar o seu lugar e sentir o seu lugar dentro de seu mundo, dentro do seu Universo, e ser capaz de utilizar conscientemente a ajuda e o apoio que está disponível para você.

Nós, os Pleiadianos, desempenharemos um papel importante junto a você, à medida que você começar a trabalhar com esta energia da Profecia de Autocura. Este livro contém muitas jornadas de Iniciação que o alinharão com a Profecia. Nós nos comprometemos a trabalhar com você enquanto você empreende essa jornada, com a sua permissão.

Este é um chamado do destino para você. Você estará sempre empreendendo essa jornada, e nós estaremos sempre com você para lhe dar suporte. Esse é o nosso contrato, que é um contrato de amor. As faixas gravadas no site mantêm as frequências de cura da "Profecia de Autocura", que irão ajudá-lo a despertar energias, para que você possa avançar muito mais facilmente rumo à Unidade e ao seu lugar dentro do Circuito Universal. Pode nos chamar quando desejar a nossa ajuda em seu processo. Honramos plenamente seu processo individual e seu direito de criar a sua jornada, à medida que precisa dela, momento a momento, passo a passo. Acolha-se com amor, enquanto você dá esses passos.

COM AMOR E BÊNÇÃOS
OS PLEIADIANOS

Capítulo 1

Conectando-se com o Coração

É por meio do seu coração que você vai começar a se alinhar com a orientação do seu Self e com a sua luz. É por meio do coração que você será capaz de receber orientação para a sua jornada. Este capítulo foi concebido para conectar você ao seu coração e à energia do seu coração, e, mais importante, ao fluxo de luz do Self. Esse fluxo o conecta à Consciência Universal e ao seu lugar dentro dela.

Você vai começar a construir uma nova relação com o seu coração. Até este ponto, a maioria das suas conexões foi com a mente. Sua mente do ego tem sido o seu guia na vida, controlando todos os seus atos. O problema é que a mente do ego é extremamente limitada; sua motivação é mantê-lo em modo de *sobrevivência*. Quando você está no modo de sobrevivência, toda a motivação ligada à tomada de decisões deriva do medo, da falta, e da luta, e essas motivações estão totalmente conectadas com a ilusão da realidade tridimensional. Não há verdadeira criatividade e liberdade nesse contexto, por isso a mente do ego mantém você em um ciclo de limitação e estagnação.

Quando escuta a mente, você não consegue se conectar com a orientação da luz do Self. Isso significa que, para que você possa realmente ter uma conexão com o coração, você não pode se dar ao luxo de permitir que a mente do ego controle todos os seus movimentos e tome as decisões. O ego é como uma criança pequena que requer disciplina e limites. Ele não reconhece a verdade; não compreende a verdade. A mente do ego é totalmente baseada no medo, e vai afastar você de qualquer coisa que ela acredite ser arriscada, de modo que você está constantemente limitado na sua capacidade de criar.

Para se alinhar com a verdade, você precisa estar conectado ao coração, que está alinhado com a luz do Self. Para avançar no seu caminho, você precisa estar preparado para confiar em seu coração e fluir. Você pode confiar em seu coração para levá-lo aonde precisa ir, pois ele está diretamente ligado à luz do Self. Quando você se liga ao coração e vive com base nele, é automaticamente cuidado em cada momento, pois você está sendo guiado pela luz do seu Eu Superior. Você pode confiar nessa orientação para cuidar de você. Isso é verdadeiramente tomar de volta o seu poder!

Sua conexão com o coração leva você a entrar em contato com o sentimento, e o sentimento propicia a cura nos níveis físico, emocional e espiritual. Ao começar a sentir o que está em seu coração, você começa a se voltar para o momento presente se perguntando: *"O que estou sentindo agora?"* Enquanto os sentimentos vêm à tona e o coração começa a se expandir, você se sente mais vivo e mais ligado ao seu coração.

Os sentimentos são uma chave para a maioria de suas experiências. Se você estiver disposto a se abrir para o sentimento quando a experiência estiver ocorrendo e, em seguida, respirar, você vai perceber que a experiência em si vai diminuir de intensidade, porque você está se ligando com o sentimento. Quando você se conecta com o coração, sente a clareza do momento, e chega a uma nova compreensão.

Então, pare e respire, levando o ar para dentro do seu coração quando estiver numa situação difícil. Diminua o ritmo. Reserve um momento para ficar consigo mesmo. Quando surgir uma situação difícil, não se deixe sozinho. Respire e sinta.

Ao se conectar à dor emocional guardada no seu coração e dissipá-la, você se torna capaz de se conectar de forma mais completa com a *alegria* interior, que é uma parte de quem você é. Quando reprime a dor, você reprime automaticamente a alegria. Você veio a este mundo para experimentar a alegria e as maravilhas que estão aqui neste plano terrestre; para se conectar aos outros seres humanos através do coração, e para viver uma união sagrada com todas as coisas vivas. Seu coração precisa estar vivo para passar por essas experiências. Isto é o que significa estar vivo: sentir e ser uma parte de toda a força vital e viver a verdadeira paixão.

Viver verdadeiramente é *sentir* — sentir e respirar, através do coração, conectando-se naturalmente com a luz do Self, assumindo o seu lugar, e permitindo-se ser sustentado em verdade e amor, no seu lugar na Consciência Universal. Quando o seu coração começa a se abrir, você começa a ser plenamente capaz de receber, e então pode se abrir para o seu direito natural de abundância em todos os níveis.

Depois que está no fluxo natural de sua própria luz, tudo muda na sua vida cotidiana. Não há luta, e você se move livremente em seu dia a dia. Há um sentimento interior de calma. É quase como se você estivesse nadando contra a corrente, e de repente se vê livre para descer corrente abaixo, sem nenhum esforço. Essa mudança é você seguindo o fluxo natural da luz do seu Self, e conectando-se com o aspecto natural de amor por si mesmo.

Fortalecendo o músculo do coração

Os seres humanos dizem que querem se lembrar — conhecer o seu caminho e descobrir por que estão aqui e qual a sua missão nesta vida. *O que estou fazendo aqui? Qual é o propósito da minha vida?*

Para realmente se conectar com as respostas a essas perguntas você vai ter que mudar o *lugar onde* você busca uma direção para sua vida e onde você vai se conectar para receber as respostas. Depois, você pode receber a verdade para as suas perguntas. Então pode se mover na vida em alinhamento com o seu Self. Você só receberá as respostas a essas perguntas a partir de dentro de si mesmo, e essas respostas podem ser acessadas através do seu coração. É essencial que você leve sua atenção para dentro.

O primeiro passo é mudar sua relação com a mente do ego e com o coração.

O músculo do coração é bem pequeno, porque você não se conecta com ele. Vamos dar uma olhada em como você vai começar a se abrir para o coração, expandindo o seu músculo cardíaco.

Em primeiro lugar, tome consciência do seu coração físico. Você precisa começar a passar algum tempo apenas sentindo o seu coração com a palma da mão e respirando. Traga sua consciência para a sensação da pressão da mão e do calor dela em seu corpo físico. Por consciência quero dizer a sua percepção, de modo que toda a sua atenção se concentre na experiência física da pressão da mão, neste momento. Nada mais — foque apenas na sensação da sua mão no peito. Neste exato momento você inspira o ar. Essa ação é poderosa. Você está ficando com o *seu coração*, no momento presente.

Quero que você entenda o poder de ficar no momento. Nós passamos a vida pensando no que está por vir ou no que aconteceu no passado. Raramente ficamos no momento presente. Tudo o que temos — tudo o que é verdadeiramente real — é este momento. Quando decidimos conscientemente ficar neste momento, entramos em contato com o nosso poder, entramos em contato com o alinhamento com o Self, saímos da separação. Nós nos conectamos com a clareza da Verdade.

É a mente do ego que nos leva para longe da experiência do momento, sempre se preocupando com o passado ou o futuro. O coração nos abre apenas para este momento do agora, e quando nos conectamos com o coração e respiramos, a respiração expande a nossa experiência do momento, a nossa ligação com o nosso coração, com a nossa luz.

É assim que começa:

1º passo. Leve a sua mão ao coração físico.
2º passo. Traga sua consciência para a pressão da sua mão sobre o peito.
3º passo. Respire; abra-se para "*Este é o MEU coração*". Respire.

Este é o meu coração

Abra-se para a necessidade desse coração — o seu coração. Ele precisa de uma respiração suave, uma inspiração profunda pela boca, em que você apenas solte o ar sem controlar a expiração. Deixe o coração se abrir ao liberar energia com a expiração. Você pode até dar um suspiro ou fazer um som ao expirar. Isso é chamado de Respiração Consciente.

Seu coração está esperando por você, por essa conexão e por esse despertar. Tome posse do seu coração; reivindique a si mesmo em cada respiração. O mais importante: reivindique este momento, o seu momento com a respiração.

O seu coração precisa ressuscitar. É hora de ele iniciar um processo de autorrealização. Isso só pode acontecer quando você reivindicar conscientemente o seu coração. Seu coração vai se transformar, você vai se transformar. Sim, VOCÊ!

Esteja ciente de que a mente do ego tem tido o compromisso de tentar manter você seguro esse tempo todo, e agora o trabalho dela precisa mudar. Você viveu no modo sobrevivência até este ponto e agora é a hora de mudar para o modo viver. O verdadeiro viver ocorre através do coração.

O ego ainda tem um trabalho a fazer, mas seu objetivo é ajudar você a organizar as coisas na sua vida, terminar suas tarefas e, de maneira geral, manter as coisas da terceira dimensão em ordem. Isso é tudo o que você precisa da sua mente do ego: cumprir tarefas, não comandar a sua vida. O ego vai ter que se reajustar à sua nova posição, e você vai precisar ser paciente, amoroso e compassivo com a mente do ego, enquanto ela passa por essa transição.

Cada vez que seu ego estiver preocupado ou com medo, tentando resolver as coisas, ou sendo muito dramático e ansioso, basta levar a mão ao coração físico, levar a sua consciência para onde sua mão está tocando o coração e começar a praticar a Respiração Consciente lenta e profundamente. Traga toda a sua consciência e atenção para o coração. Você vai sentir uma mudança nos sentimentos que está experimentando. Vai se sentir mais calmo e menos agitado. O drama do sentimento vai desaparecer, porque o drama não existe dentro do coração. Haverá o sentimento de que, de algum modo, tudo vai dar tudo certo. Pode até lhe ocorrer uma solução para o problema que tem em mãos, algo em que não tinha pensado antes — uma solução simples.

À medida que começa a se conectar com o coração, você se conecta à fonte inesgotável de conhecimento e compreensão universal, que é uma ligação natural com a luz do Self. Essa é uma parte natural de você, uma parte que você sempre teve. Agora é hora de você se ligar a esse aspecto de si mesmo e utilizar a ajuda que está à sua disposição.

Enquanto você trabalha mais com o coração e desenvolve esse alinhamento com o Self, sua orientação e conexão com o coração vão crescer e florescer, e você passará a viver cada vez mais no momento, sem esforço, no fluxo da luz do Self. O coração vai se tornar mais autorrealizado e com isso quero dizer que ele começará a fazer o trabalho para o qual sempre esteve destinado.

As palavras *Seja Feita a Tua Vontade* refletem a verdade desse estado. Por meio do seu coração, você se move em direção ao alinhamento com a luz do Self, você se entrega à sua jornada, e permite que a luz do Self o leve aonde precisa ir, para fazer o que precisa fazer. Cada vez que fala essas palavras, *Seja Feita a Tua Vontade*, você se alinha mais e mais com a luz do Self, e ancora-se no fluxo natural e na corrente desse rio de luz. Você solta o que está preso e se permite fluir com a *sua* vida e com a sua jornada. Não é preciso esforço quando você segue esse fluxo natural — essa corrente de sua luz.

Agora é hora de ouvir a primeira faixa gravada no site, denominada "Transformando o Coração". Você precisará ouvi-la algumas vezes. A cada vez você vai senti-la de forma diferente porque as faixas têm níveis energéticos ilimitados, e quando você estiver pronto, elas vão levá-lo para as mais profundas Iniciações. Irão levá-lo aonde você precisa ir, continuando a expandir sua conexão com o coração, despertando o seu coração. Existe uma linguagem que é canalizada através dessas faixas; essa linguagem vem dos Pleiadianos. Foi concebida para possibilitar a comunicação com a luz do Self, a única essência do seu ser, e para trazer a sua luz à sua frente. Ela vai ajudar o seu coração a se transformar e a despertar. Ela vai agir dentro das células do coração, curando-as e ativando uma nova força vital através das células, à medida que ocorre a cura. As células do coração vão começar a responder às palavras como uma flor se abrindo para o sol. Cada célula em seu coração irá passar por um despertar que o transformará. A cura física pode ocorrer no seu coração quando esse despertar acontecer. Basta se abrir a ele e deixar que aconteça; permita que ele o desperte. Permita que quaisquer sentimentos emocionais apenas fluam para fora.

Quando você se abre para a linguagem canalizada, pode sentir como se a conhecesse em algum nível. Pode sentir que é familiar, sentir-se à vontade com ela. Essa linguagem carrega as frequências do amor e as energias do despertar. Independentemente do que sinta, apenas respire e se abra para receber essa energia dentro das células de seu coração.

Você vai se transformar;
Seu coração vai se transformar;
Sua vida vai se transformar.

É uma ocasião para celebrar você no momento através do seu coração. Lembre-se, esse é um processo gradual: uma respiração de cada vez, um momento de cada vez. As Forças Espirituais irão apoiá-lo durante essa viagem, e eu estarei com você energeticamente. Os Pleiadianos irão se apresentar, se você quiser ser assistido por eles. Estamos abertos aos Anjos, aos Seres de Luz, aos Mestres, para testemunhar você e o nascimento do seu coração, o nascimento do seu ser. Celebramos enquanto você dá o próximo passo.

Tenha uma boa jornada!

Capítulo 2

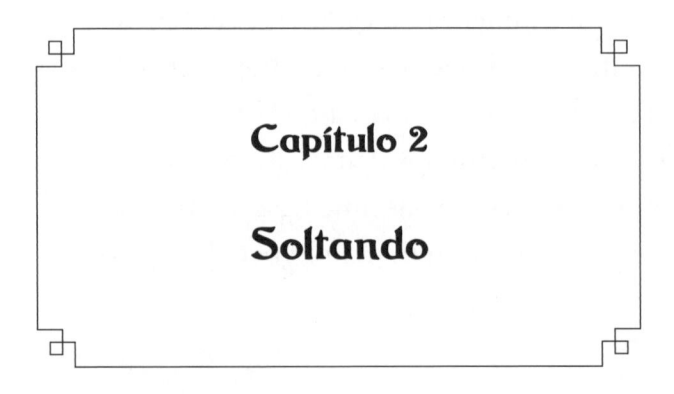

Soltando

Você esteve neste plano terrestre por muitas vidas e, durante esse longo período, você passou por muitas experiências, teve muitos conceitos e ideias, e demonstrou comportamentos socialmente aceitos que o mantiveram sob controle. Isso tirou de você o seu poder pessoal. Você, é claro, abriu mão do seu poder. Ninguém pode jamais *tirá-lo* de você, mas para ser amado ou aceito em contextos sociais ou na dinâmica familiar você se amoldou ao que era esperado de você e, pouco a pouco, foi se deixando levar.

Na infância, todos nós aprendemos rapidamente a fazer o que é preciso para sobreviver. Nós precisamos de amor, e aprovação equivale a amor. As crianças são totalmente dependentes dos seus cuidadores para a sua proteção, para o alimento, e somente para receber cuidados. Como mencionei anteriormente, continuamos a viver dessa maneira muito depois de termos deixado de ser crianças. Demonstramos esse comportamento aprendido em nossa vida adulta e continuamos a demonstrá-lo em todos os nossos relacionamentos.

Chega um momento em que precisamos reconhecer nosso comportamento como adultos e começar a mudá-lo. Temos que começar a nos honrar, a nos amar e a sermos pacientes e gentis com nós mesmos. Temos de ser amorosos, pacientes e compassivos para com nós mesmos, à medida que nos curamos. É preciso muita coragem para decidir por fazer as coisas de maneira diferente, porque há segurança nos padrões familiares, não importa o quanto sejam dolorosos. É o que nós sabemos!

Comece por saber que você tem o direito de ser amado e amparado em sua vida. É hora de você soltar qualquer tipo de amarra energética e aceitar que você está muito bem assim como é. Você! Sim, você, assim como você é neste momento. Não há nada que você precise mudar em si mesmo para receber esse amor. Você tem o direito de ser amado e amparado, *agora*.

A verdade é que o amor e o amparo estão à sua disposição neste exato momento. Você só precisa estender a mão para acessar o amor e a ajuda que está aqui para você. Há uma quantidade incrível de apoio aqui para você neste momento e você realmente não precisa fazer nada sozinho novamente. A luta pode parar, *agora*.

É uma parte do seu direito natural ter abundância em todos os níveis. Você é uma parte significativa do plano divino e é muito importante. Essa é uma Verdade. *Você é importante!*

Eu quero que você respire fundo, inspirando pela boca e expirando pela boca, agora mesmo, e solte. Respire e solte.

Você esteve se segurando por tanto tempo que nem percebe o quanto não respira. E quando mantém tudo dentro de você, a energia dos seus sentimentos vai para as células do seu corpo; a tensão, a dor e o medo entram em suas células. Assim, as células do seu corpo começam a carregar essa energia de dor, de medo e de tensão, e a cada situação da sua vida essa energia vai se acumulando nas células de seu corpo. Alguns desses processos consistem em diminuir o acúmulo nas células, para libertá-lo da dor e do medo. Permita que as células fiquem livres dessa carga que transportam; permita-se ser livre!

Respire fundo novamente pela boca, e depois deixe o ar sair através da boca. Toda a tensão nas células começa a ser liberada. Essa inspiração e expiração pela boca liberam o acúmulo de stress que existe dentro das células. Se um som quiser sair com a respiração, deixe-o vir; faz parte do soltar. Às vezes, a emoção pode querer sair com a expiração, e não há nada de errado nisso. Deixe que ela venha. Está na hora. É bom *sentir* e *se libertar*.

Enquanto você respira e as células começam a liberar a tensão do passado, um novo aspecto de você mesmo pode começar a nascer. Você pode começar a se conectar com alguma outra parte de seu Self. Esse tipo de respiração diz, "Sim, eu estou disposto a me soltar. Sim, eu estou disposto a começar a receber a minha luz e a me conectar à minha luz".

Toda vez que respira dessa maneira, um outro nível do seu ser solta o que está preso, então você respira e deixa ir, respira e solta. Lembre-se: isso é chamado de Respiração Consciente. É você começando a escolher a mudança — a escolher dar à luz a si mesmo. Cada respiração diz: "Eu me abro para este direito inato agora". A cada respiração você está ativando esse processo de mudança para

Soltando

si mesmo. Apenas solte com a respiração e abra-se para receber o que é naturalmente seu.

Isso me faz lembrar a minha jornada voltando da morte para a vida. A cada Respiração Consciente eu escolhi a vida. Escolhi me libertar. Então, respirando, você escolhe a vida: com a respiração, você escolhe o amor. A Respiração Consciente é um gesto de amor que você faz a si mesmo, a cada momento. Você pode fazer isso. Você tem o direito de estar vivo, de ser amado e de se libertar dos muitos fardos que carrega consigo.

Ler estas palavras agora pode trazer à tona sentimentos e emoções. Muitos de vocês estão sozinhos há muito tempo, procurando algo que faça sentido em suas vidas. Você está se esforçando para entender com a mente o que é que dará significado à sua vida, tentando entender como a vida funciona e como sair de ciclos em sua vida que simplesmente não o levam a lugar nenhum.

A dor de estar tão separado e perdido é às vezes intolerável. O sentimento de separação é a falta de conexão com o Self. Você só quer que toda a luta, o medo e a dor acabem. Você sente essa separação há muitas vidas, e agora está recebendo a graça neste planeta de sair dessa separação, para que os véus se ergam e você passe verdadeiramente para um novo nível de despertar. Você está se movendo *em sua própria direção*, você está se movendo em direção à luz do seu Self, momento a momento, a cada respiração, à medida que escolhe a vida e o amor. O amor pode voltar para a sua vida cada vez e sempre que você escolher respirar.

Apenas respire outra vez, inspirando pela boca, e vá soltando, expirando pela boca, escolhendo a vida, escolhendo o amor.

À medida que você faz isso, a história da sua vida começará a desaparecer. O que eu quero dizer é que a história da sua vida até este ponto vai perder a importância. Você não vai mais se apegar ao passado, mas vê-lo como algo que o trouxe a este momento no tempo, e nada mais. Uma série de acontecimentos que tiveram lugar, que lhe proporcionaram experiências — nada mais — e agora você pode abrir mão deles e seguir em direção a si mesmo, em um novo caminho.

Com a série de passos que se seguem, você vai começar a sentir uma mudança. A primeira pergunta é: *Você está disposto a permitir a mudança?* Você não precisa saber como fazer isso, nenhum conhecimento é necessário, apenas um desejo de mudança. Você nem precisa saber exatamente como será a mudança. Você não tem que ter essas respostas agora. Tudo o que você precisa saber é que precisa e deseja mudar o que está acontecendo em sua vida — que você está disposto a mudar. Você tem a intenção de soltar e seguir em direção à abertura para esse novo nível de si mesmo.

Seu Eu Superior vai começar a desencadear uma série de acontecimentos em sua vida que vão criar a mudança. Você precisa se abrir e permitir essas mudanças, e para que isso aconteça você precisa ter vontade de se entregar e confiar. Você tem tudo a ganhar e nada a perder aqui. É a sua hora.

A energia do *soltar*, da entrega, é poderosa. Ela permite que a mudança aconteça, porque, quando essa energia é ativada dentro de suas células, o velho, tudo o que você tem segurado, se move para fora, abrindo espaço para a mudança e a transformação das células do seu corpo. À medida que essa transformação ocorre dentro das células, a cura física pode ocorrer dentro do corpo. A densidade das células começa a mudar e isso torna a cura física possível.

A energia do simplesmente *soltar* também se transmite para todos os níveis da sua vida. Ela se move como uma onda, atravessando todos os aspectos, ajudando você a romper e a eliminar padrões

Soltando

antigos e ineficazes. Ela abre novas portas, e novas oportunidades, quando necessário. Essa energia de *soltar* causa ondulações que perpassam todas as áreas de sua vida, e você começa a receber sua abundância natural. Ela permite uma cura em todos os níveis: cura nos relacionamentos, cura no nível físico e cura no nível emocional. É hora de você permitir isso para si mesmo.

Uma mulher veio me pedir ajuda. Ela era infeliz em sua vida; tinha um emprego que não a satisfazia e um relacionamento que já não ia bem, e estava sofrendo muito de dor nas costas.

Enquanto eu conversava com ela, descobri que carregava muita culpa devido a um acidente de carro. Esse acidente tinha acontecido 20 anos antes, e uma pessoa morreu na ocasião. O acidente não tinha ocorrido por sua culpa, mas era ela que estava ao volante e tinha assumido a culpa integralmente, responsabilizando-se por não ter sido capaz de fazer algo para evitá-lo. Enquanto ela falava sobre sua experiência e seu profundo sentimento de remorso e autocondenação, eu podia sentir a energia densa em torno do assunto e como ela estava agarrada à sua culpa. Mesmo que, pela lógica, ela concordasse não ser responsável pelo acidente de fato, não conseguia deixar de sentir culpa. Ela disse que não era merecedora de nada de bom para si, e que merecia ser punida.

Perguntei-lhe se estava disposta a trabalhar com a energia do processo do *soltar*, explicando que se tratava de uma energia que se movia através do campo energético e através das células do corpo, liberando qualquer tipo de amarra energética. Primeiro ela soltaria velhas questões, e depois ajudaria essas questões a sair, mudando a vibração energética de seu corpo e dentro de seu mundo.

Ela concordou, mas não ficou muito entusiasmada. Eu lhe disse que realmente não importava o quanto estivesse convencida; tudo o que importava era que dissesse "sim", e apenas se abrisse para a experiência. Então, trabalhei com ela a abertura para o processo energético do soltar. Ela prometeu se comprometer durante o processo, e isso era tudo o que eu precisava para conseguir ativar o processo, para que ela pudesse receber a energia do soltar. Ela realmente teve uma experiência positiva durante o processo, sentindo como se algo tivesse sido retirado e ela já não se sentisse tão pesada com seu fardo. Sentiu uma leve sensação de alívio e estava disposta a se abrir para a possibilidade de mudança. Dei-lhe um CD com o processo do soltar e pedi que ouvisse três vezes durante a primeira semana. Disse-lhe que ela não precisava fazer nada, a não ser ouvir o CD e respirar. Nós concordamos em atendê-la duas semanas depois.

Duas semanas depois, ela entrou na sala com uma energia muito diferente em relação à última vez em que eu a tinha visto. Contou que a dor nas costas estava muito melhor e que tinha percebido quanta dor emocional havia carregado consigo. Tinha chegado a muita compreensão dentro de si, de uma forma natural, como se um muro tivesse caído. Era capaz de ver e entender os acontecimentos de forma diferente, e por isso podia deixar a dor e seguir em frente.

Ela recebera uma promoção em seu emprego, e podia sentir que havia algo de novo dentro de si: ela tinha agora a chance de ser feliz em sua vida.

Esta mulher continuou a ouvir o CD com o processo do *soltar*, e, passo a passo, muitas mudanças ocorreram em sua vida. As mudanças dentro de si mesma a levaram a algo mais positivo em seu relacionamento, e ela foi capaz de começar a receber de outra maneira, a abrir-se para experiências diferentes, mais positivas, em sua vida.

É assim que funciona a energia do soltar. O aspecto mais poderoso dela é a sua capacidade para afrouxar as amarras que nos ligam à antiga bagagem emocional — a bagagem que nos impede de receber e avançar na nossa vida.

Eu quero que você se abra para esta imagem: você está se segurando no galho de uma árvore com ambas as mãos. Está pendurado sobre um rio. Há uma corrente suave nesse rio. A energia do soltar está convidando você a soltar. Isso significa que você simplesmente precisa soltar o galho que está segurando e cair suavemente dentro do rio e ser levado pelo fluxo da corrente desse rio. Essa é uma ação que não requer esforço, apenas abrir os dedos das mãos e soltar. Você simplesmente cai no rio que o leva com essa corrente suave. Você está sendo carregado, amparado, e compelido para a frente. Não há nada que precise fazer a não ser respirar, descansar e permitir que seja transportado. Esse rio é o *seu* rio de luz, e o fluxo em que você está é o fluxo da sua própria luz, que irá levá-lo aonde você precisa ir na vida. Esse é o *soltar*. Não há nenhum esforço nisso, basta o simples ato de soltar o galho que você estava segurando. Você o está agarrando firmemente há muito tempo, e agora pode simplesmente soltar. O esforço e a energia utilizada para se segurar estão esgotando você. Então, basta soltar e permitir que a luz do Self o ajude *agora*. Saiba que a energia do soltar que é ativada na segunda faixa irá ajudá-lo a seguir o fluxo no seu rio e a ser capaz de soltar nesse nível.

◊◊◊◊◊◊◊◊◊◊◊

Agora é hora de você se abrir para a segunda faixa gravada no site, canalizada para você pelos Pleiadianos, por meu intermédio. Ela foi projetada para ativar o processo do soltar nas suas células e na sua vida. Essa energia está aqui para você. É um momento emocionante, um momento consciente, enquanto você dá um passo poderoso em direção a mais de si mesmo.

À medida que você se abre para essa energia, durante essa jornada, ela irá ajudá-lo a começar a soltar coisas às quais você tem se segurado. Conforme se solta e as células começam a se libertar, a luz do Self pode começar a ancorar em seu corpo. Quando isso acontece, você começa a ser capaz de se conectar com mais esse fluxo de luz nesse rio. Terá a oportunidade de começar a fluir com o seu rio de luz e de tomar o seu lugar. Isso o abrirá mais para a luz do Self.

Cada vez que você ouvir essa segunda faixa, outro nível da energia do soltar pode nascer através de suas células. Saiba que eu estarei energeticamente com você. Sustentarei um espaço para você, apoiando suas alterações e sendo uma testemunha de tudo o que você solta, da transformação e do nascimento de uma nova luz dentro de você e de novas energias sendo ativadas em sua vida. Se você estiver disposto a se abrir e permitir que as energias dos Pleiadianos o ajudem no processo do soltar, essa será uma experiência poderosa e emocionante. Basta dar a sua autorização, e permitir sua jornada. Abra-se para a linguagem dos Pleiadianos. Ela também irá ajudá-lo a conectar-se com um outro nível de Self.

Capítulo 3

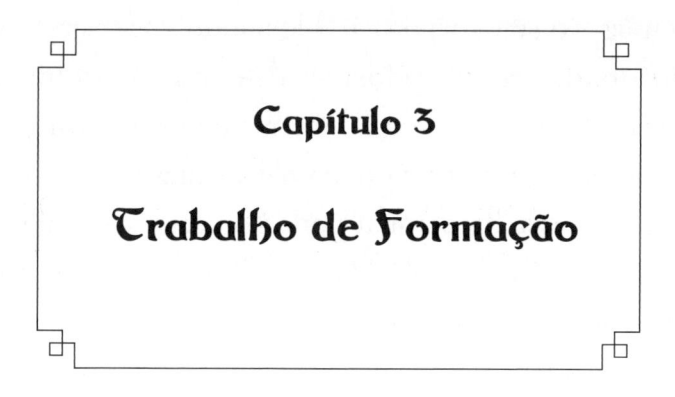

Trabalho de Formação

O que é uma Formação?

Quando você trabalha com uma Formação, trabalha com uma forma de Geometria Sagrada. Essa forma sagrada ancora diferentes espaços dimensionais para você se abrir para os processos de Iniciação que ocorrem dentro do seu campo energético e das células de seu corpo.

A Formação lhe dá uma oportunidade para começar a trabalhar em outros espaços dimensionais da terceira dimensão. Ela leva você para os reinos da quarta, quinta e sexta dimensão, onde você pode trabalhar com os aspectos de luz do Self. Existe um aspecto puro de amor que é sustentado dentro desses espaços dimensionais, um amor que gera a transformação e a cura dentro dos corpos físico, emocional e espiritual. Esse espaço lhe dá acesso e uma oportunidade para trabalhar com um aspecto do seu Eu Superior e para ancorar essas energias de luz do seu Self diretamente dentro das células do seu corpo físico. Quando você acessa a luz do Self e a ancora dentro das células, existe uma oportunidade para a cura física ocorrer. Essa luz também funciona dentro do corpo emocional. A emoção fica guardada nas células e, quando essa luz é acessada, a energia emocional pode começar a ser liberada. Ela vai abrir você para novos estados de realidade enquanto você navega através dos diferentes estados dimensionais sustentados nos espaços dimensionais da Formação. Ela irá ajudá-lo a acelerar até atingir uma conexão mais profunda com o seu próprio Self de luz. Você será iniciado por esse amor.

Cada vez que trabalhar dentro desse veículo energético, mais você se desenvolverá. Cada vez que você decidir trabalhar com uma jornada de Formação, mais você se expandirá e se transformará energeticamente. Suas células irão se expandir com a sua luz energética cada vez que você voltar de uma jornada de Formação.

Cada jornada é única, e projetada de forma única, completamente para você. Há uma orquestração divina que se abre apenas para que você se desenvolva, para que você tenha acesso ao ensinamento da Verdade e à compreensão de si mesmo. À medida que você completa cada jornada, suas células se tornam despertas com a sua luz, e você começa a passar para um estado muito mais consciente de percepção de um nível energético. O mundo espiritual é capaz de se conectar com você muito mais facilmente quando você desperta, pois você recebe mais da sua luz em suas células. Você se torna ainda mais conscientemente conectado quando você nasce e se inicia em seu Self de luz. Saiba que você é sustentado em amor, à medida que se desenvolve.

Trabalho de Formação

A Formação cria um veículo para você; esse veículo permite que você acesse e, em seguida, ancore alinhamentos energéticos com outros espaços dimensionais sagrados. Isso significa que a própria Formação leva você a se abrir para a quarta, a quinta e a sexta dimensão, onde você pode se curar e se transformar em muitos níveis. Por meio da utilização das formas da Geometria Sagrada, e com a ajuda dos Pleiadianos, você será iniciado dentro desses espaços.

Cada experiência com a Formação irá acelerá-lo até você atingir um alinhamento com a Consciência Universal e lhe dará acesso a uma experiência do seu aspecto divino único do todo. Isso significa que você vai começar a se abrir para experiências diretas do seu lugar energético dentro do Universo e ter uma nova sensação de fazer parte de uma força pura e amorosa. Você vai se sentir como uma parte dessa força. Ele vai agir e nascer através de você, afetando a sua consciência e a sua vida. Vai fazer surgirem oportunidades para que você possa assumir seu lugar no mundo e abri-lo para o seu direito natural à abundância ilimitada, de modo que você começará a ativar isso em sua vida. A cada jornada, você dará à luz novos níveis do seu Self de luz em suas células. Cada jornada será diferente, porque você vai estar diferente. Há um número ilimitado de níveis para você ancorar na sua Iniciação, mas cada jornada que você faz é completa em si mesma.

Graças à "Profecia de Autocura", os Pleiadianos franquearam o seu acesso a esse processo, pois agora é hora de passarmos por esse despertar acelerado. Minhas energias também podem apoiá-lo. Parte do meu dom é a capacidade de trabalhar energeticamente com cada um de vocês. Você só precisa recorrer a mim energeticamente e eu estarei com você. Esse é o meu compromisso com você. Eu posso sustentar uma plataforma energética para ajudá-lo na integração da energia das suas jornadas na Formação, de modo que suas células recebam plenamente um novo nível da sua luz e que cada célula seja totalmente integrada a essa luz. Isso faz parte da minha missão aqui neste plano terreno. Estou ancorada em uma forma ilimitada de mim mesma, e minhas energias estão sempre disponíveis.

Como se preparar para fazer o trabalho de Formação

Você vai precisar providenciar algumas coisas a fim de fazer esse trabalho de Formação. Vai precisar de si mesmo e de outras três pessoas OU vai precisar de si mesmo e de três marcadores, tecidos ou almofadas. (Nota: você não precisa usar cristais para marcar os lugares.)

A Formação é configurada em um quadrado perfeito; cada uma das quatro posições é ocupada por uma pessoa ou por um marcador. Dependendo do número de pessoas, use os marcadores para preencher os lugares vagos (máximo de quatro lugares). Dos quatro lugares que você tem na formação, não importa quantos serão utilizados por pessoas ou quantos serão ocupados por marcadores. É importante que você tenha certeza de que cada Formação esteja alinhada corretamente, com um lugar bem na frente do outro, ou as marcas alinhadas de modo que o quadrado fique equilibrado. Faça com que o espaçamento entre cada lugar seja o mesmo. O tamanho real da Formação não é importante; ele pode ser grande ou muito pequeno, mas deve ser equilibrado. Os Pleiadianos e os Reinos Espirituais podem trabalhar com muito mais eficácia com você em uma Base de Formação devidamente equilibrada. As energias que geram podem ser muito mais eficazes com essa Base harmoniosa. Então, assegure-se de que essa Base seja construída

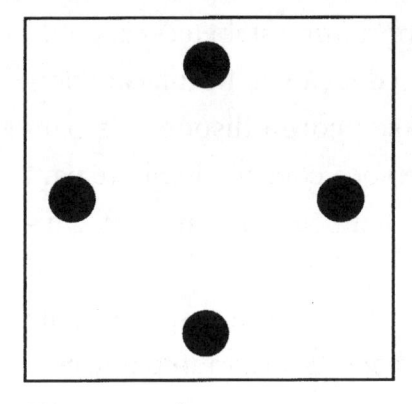

Diagrama A

de maneira uniforme. (Veja o Diagrama A.)

Os Pleiadianos e o Espírito só podem apoiar o trabalho se esses alinhamentos estiverem corretos, e você precisa do apoio deles. Eles podem ajudá-lo com suas Iniciações e experiências e, especialmente, com a integração dos muitos níveis de luz que estarão chegando às suas células. Essas suas energias de luz, que você traz de volta ao seu corpo, precisam ser plenamente utilizadas, o que se consegue integrando-as plenamente dentro das células. É nesse ponto que o apoio do Espírito e dos Pleiadianos é importante. Eles garantem que você esteja totalmente integrado ao iniciar.

Saiba que os Pleiadianos se dispõem a ancorar os espaços da Formação onde não há pessoas, nas posições marcadas. Eles sustentam energeticamente essas posições para ajudá-lo na abertura dos espaços dimensionais da Geometria Sagrada. Assim, você pode trabalhar com outras pessoas na Formação, ou com as energias pleiadianas. Os Pleiadianos irão preencher as lacunas; assim, você pode, por exemplo, ter duas pessoas e duas posições marcadas ocupadas pelos Pleiadianos.

Você terá que entrar em seu corpo antes de começar essa Formação. Isso significa trazer a energia da mente para baixo, para seu corpo, especialmente para o coração. Demore o tempo que for preciso para colocar as mãos sobre o peito e sentir a pressão e o calor delas. Use a Respiração Consciente, inspirando e expirando pela boca. Isso afasta rapidamente você da sua mente, transportando-o para dentro do seu corpo. Você não pode estar na experiência de

Formação com a mente do ego. É importante estabelecer a conexão com o corpo antes de começar a meditação da Formação, porque essa conexão torna as células do seu corpo disponíveis para receber a energia de Iniciação. Ela abre você conscientemente para receber um novo nível de si mesmo, e também comunica ao Universo, "Sim, estou pronto!"

Lembre-se de que a respiração diz: "Sim, estou disposto a me entregar" e "Sim, estou disposto a receber". É importante que esse seja um ato consciente de sua parte.

As minhas perguntas para você são: *Você está disposto a receber? E até que ponto está disposto a receber?*

É surpreendente como poucos se sentem merecedores. Faz parte do nosso direito natural ter abundância em todos os níveis. Lembre-se de que os Pleiadianos perguntam: "Por que ter um grão de areia quando você pode ter a praia toda?"

Então eu sustento um espaço para cada um se abrir e receber tudo o que é seu direito receber!

Antes de começar, estabeleça uma intenção e abra-se para receber durante essa Formação específica, para receber o que você está disposto a permitir. Você precisa pedir para receber! O Espírito precisa saber qual é o seu desejo, a fim de realizá-lo para você. Seja tão específico quanto possível e depois solte, confiante e seguro, entendendo que o processo de recepção está em curso.

Se você estiver fazendo a Formação com outras pessoas, é bom ter quem testemunhe sua intenção pessoal para sua jornada. Se você está sozinho, apresente a sua intenção e permita que os Pleiadianos e o Espírito testemunhem a sua intenção.

Também é importante solicitar o apoio para a sua jornada na Formação *antes* de começar. Pode ser o apoio de um dos Pleiadianos, do Espírito, de mim mesma ou de qualquer uma de suas alianças individuais. Segundo a minha experiência, todas as energias podem dar apoio nesse caso. Existe apenas a Unidade — nenhuma separação.

A Formação é um espaço de pura luz. Não há necessidade de sentir que você precisa se proteger. Como se trata de um espaço de pura luz, não há abertura possível para nenhuma energia indesejada. A Formação mantém um espaço incrível em que você poderá integrar totalmente a luz que você traz de volta às suas próprias células, após a conclusão da jornada. É semelhante a um útero que propicia um espaço energético fechado em que você pode descansar e integrar o que recebeu. Você é mantido em um amoroso espaço de luz.

No começo

Quando você se abrir para a energia de Formação, é importante apenas *permitir* a sua experiência plena e não necessariamente seguir todas as minhas orientações e explicações contidas na terceira faixa gravada no site. Saiba que algumas vezes suas experiências vão afastá-lo da minha voz. Isso na verdade é bom, e de fato muito importante. Significa que você está no fluxo de sua experiência única. É poderoso e você está sendo totalmente arrebatado por um aspecto da sua própria cura nesse momento. Você pode confiar totalmente nisso quando acontecer; basta fluir com o que está acontecendo a você. Confie e consinta.

Em outros momentos, você pode se sentir extremamente sonolento. Isso acontece quando existe um elevado nível de luz nova sendo integrado dentro das células. Isso significa que você está se alinhando com os novos aspectos dimensionais de si mesmo. Esses são estados mais elevados do ancoramento da luz que está acontecendo através de você, de modo que a integração nas células dessa energia expandida cria um estado sonolento. Apenas solte e permita o processo. Pode acontecer de você entrar num estado semelhante ao sono. Não se trata de sono; você está sendo levado para outro espaço dimensional, para um processo de cura mais profunda. Isso geralmente ocorre quando há um processo de cura significativo acontecendo dentro de seu campo energético.

Pode haver momentos em que você não se lembre da jornada. Isso ocorre quando houve um profundo alinhamento energético com o Self. Você é completamente tirado do caminho, o que significa que a mente do ego não pode interferir nesse passo importante — enquanto esse processo está acontecendo. Quando você voltar de uma jornada como essa, é importante passar um tempo respirando e integrando a energia nas células do seu corpo. A energia de luz que você trouxe de volta com você é um novo nível da sua própria luz, uma energia de cura que pode transformar suas células e o seu campo energético.

É importante não tentar visualizar nenhuma parte da sua experiência. Quando digo visualizar, quero dizer, não tentar ver alguma coisa. Se algo lhe ocorrer naturalmente, e você conseguir ver, perfeito! Mas a *tentativa* de ver é a mente do ego querendo interferir, querendo participar e querendo controlar; e a mente do ego vai acabar interrompendo a sua experiência. Entenda que ela não vai ser capaz de operar dentro desses níveis de quarta/quinta ou sexta dimensão. Ela não pode funcionar lá. Então, se você está na sua mente do ego, suas experiências verdadeiras acontecerão energeticamente, mas você não vai ser capaz de ter uma experiência direta delas enquanto estiverem acontecendo.

Se você perceber que está na sua mente do ego e não está passando por nenhuma experiência, basta simplesmente colocar a mão no coração e respirar, trazendo a sua consciência para a sua mão e para o seu coração. Isso fará com que sua energia se volte para o seu corpo e se distancie da mente do ego. É um processo simples. No início você pode perceber sua mente interferindo; tudo bem. Seja paciente e amoroso com o ego, e simplesmente leve-se suavemente de volta para o corpo e retorne à sua jornada.

Simplesmente se abra para o que está acontecendo em cada momento; basta estar em cada experiência, levando sua consciência até ela, e inspirar. Isso é ficar no momento. Quanto mais você trouxer a sua consciência para cada experiência e respirar, mais essa experiência em particular se expandirá nesse momento.

Algumas das suas experiências podem ser sutis; abra-se para a energia sutil que está ali, e deixe-se ficar com ela. Você e a energia: soltando e respirando, ficando no momento. Deixe-se levar até elas. Quando você está disposto a ficar com o que está bem na sua frente e se abre para isso, independentemente do que esteja sentindo, a sua experiência se abre e se expande mais. Quanto mais você estiver disposto a se abrir para essa experiência, mais você será transportado e se mostrará mais aberto para experiências mais profundas.

Esteja consciente de que o espaço da Formação é um espaço de quarta, quinta e sexta dimensão, então você vai se deparar com experiências muito diferentes daquelas do plano terreno tridimensional. Não existe tempo, é claro — não há divisões fixas — e você pode se sentir muito diferente quando se abrir para novos aspectos energéticos de si mesmo. A mente não vai entender nenhuma de suas experiências; elas estão fora do domínio da sua mente. É por meio do seu coração e das células do seu corpo que a Verdade dos níveis superiores é reconhecida e entendida. Através das energias da Formação você receberá um novo nível de clareza, entendimento e informação, de que precisa para dar os próximos passos na vida.

Depois que você e as outras três posições estiverem configurados, você pode começar a se abrir para a terceira faixa do site, que começará a ativação de sua jornada de Formação.

Ancorando a Base

O primeiro passo é ancorar a Base de sua Formação. Certifique-se de que você está *em seu corpo*, lembrando que você precisa estar alinhado com ele. Use sua respiração para fazer isso. Você quer *conscientemente* ocupar o seu lugar na Base da Formação, reivindicando o seu lugar aqui, ancorando-se, como as raízes de uma árvore. Sinta essas raízes descendo para dentro da Terra. À medida que faz isso, você começa a sentir mais completamente seu lugar dentro da Base da Formação. Abra-se totalmente para o seu lugar na Base. É poderosa a sensação de realmente se sentir aqui, assumindo o seu lugar e dispondo-se a estar presente para si mesmo nesse momento.

Você vai criar uma Base para sua Formação. O primeiro passo é levar sua consciência ou foco para a pessoa à sua esquerda. Ao fazer isso, uma linha energética se forma entre você e essa pessoa, à sua esquerda, ou a energia pleiadiana à sua esquerda. (Veja o diagrama B.) Saiba que, para onde quer que você dirija sua atenção ou consciência, uma linha energética é criada. Essa é uma Verdade Universal, de modo que, ao fazer isso na Formação, uma conexão é criada.

À medida que todos, na Formação, fazem o mesmo, uma linha conectando cada uma das quatro posições da Formação vai se formando e a Base nasce. (Veja o Diagrama C.)

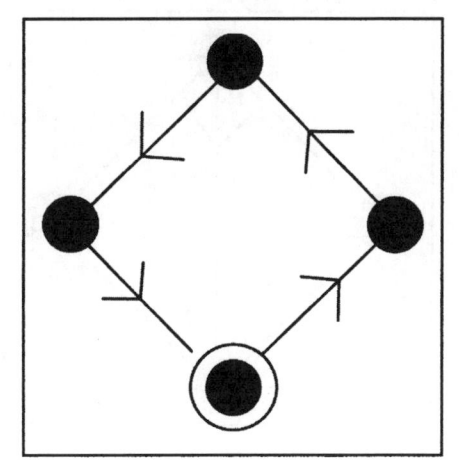

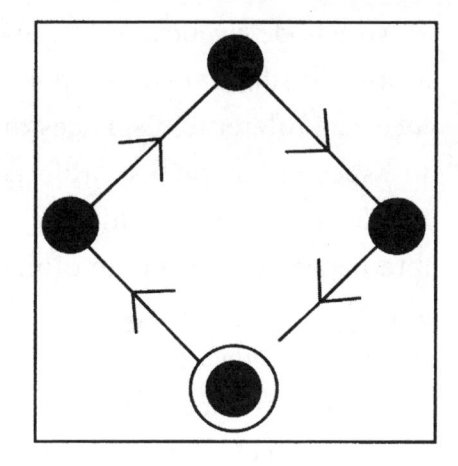

Diagrama B   *Diagrama C*

A Base, ao nascer, dá acesso às primeiras energias de outro espaço dimensional. Traga a si mesmo mais profundamente para o seu lugar dentro da Base, conforme ela se abre. Respire e se ancore mais. Você vai — em algum nível — vivenciar uma mudança (acontecendo onde você está). Solte e deixe-se expandir com isso. Saiba que a mudança pode ser sutil; pode ser forte; não importa. Apenas leve sua consciência para a Base nesse momento e respire.

Você então vai levar sua consciência ou atenção para a pessoa à sua direita e, conforme faz isso, uma linha energética vai se formar entre você e a pessoa à sua direita. Ao fazer isso, a Base se expande e se fortalece, trazendo ainda mais energias de mudança, à medida que ela se abre cada vez mais e sua experiência da Base se expande ainda mais. Você pode sentir uma união entre você e a Base, quase como se você tivesse se tornado parte dela. Pode parecer que a Base é muito maior, ou menor, ou que está de algum modo inclinada. A sensação pode ser de que a Base é fluida. Isso não precisa fazer sentido no nível tridimensional. Lembre-se: você não está entrando num espaço tridimensional; trata-se de um espaço da quarta, quinta e sexta dimensão.

Você pode vivenciar-se e sentir-se muito diferente nesse ponto; você está diferente. Está acessando aspectos energéticos diferentes de si mesmo, conforme se abre para um novo Reino dimensional!

Em seguida, leve seu foco para a pessoa diante de você e se conecte com ela. À medida que se abre para essa conexão, uma linha energética mais forte se forma. (Veja o Diagrama D.)

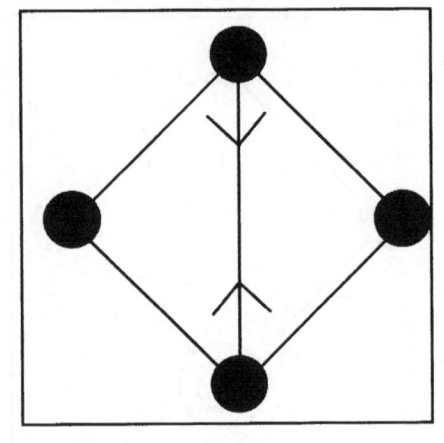

Diagrama D

Conforme você aprofunda o seu foco nessa conexão e respira, essa linha energética se expande e fica mais forte. A linha de conexão diante de você se aprofunda, se fortalece e se abre, à medida que você concentra a atenção nessa conexão.

Enquanto está conectado à Base e é parte dela, você muda e se expande. Novas energias de luz começam a brotar através de suas células. Pode ocorrer a sensação de que você e a Base estão se fundindo. Pode ser que você comece a sentir a Base se tornando cada vez maior, preenchendo a sala toda. Ou você pode senti-la de maneira muito diferente. Não importa qual é sua experiência; o mais importante é que você continue a se abrir para ela, trazendo toda sua consciência para o que quer que seja a sua experiência, permitindo-a, soltando e respirando.

O Ápice

A posição do Ápice geralmente fica acima de você; contudo, às vezes pode estar ao seu lado ou mesmo abaixo de você. Pode estar muito longe de você ou muito perto. Não importa; o que é realmente importante compreender é que o Ápice está presente. Você pode vê-lo, senti-lo ou captá-lo. Não importa *como* você o vivencia.

O Ápice tem a sua própria consciência de luz. É uma forma de luz energética. Você vai precisar saudar o Ápice. Isso significa levar sua consciência para cima, na direção dessa energia, a fim de saudá-la. Não importa como você saúda o Ápice. Pode ser simplesmente reconhecendo sua presença, como um estranho na rua dizendo "oi!" Ou você pode ter a experiência profundamente amorosa de encontrar um amigo querido, que há muito tempo não via, e sentir, no coração, uma forte conexão. Quando você fizer isso, o Ápice vai responder enviando sua própria conexão de luz para baixo, na sua direção e para a Base.

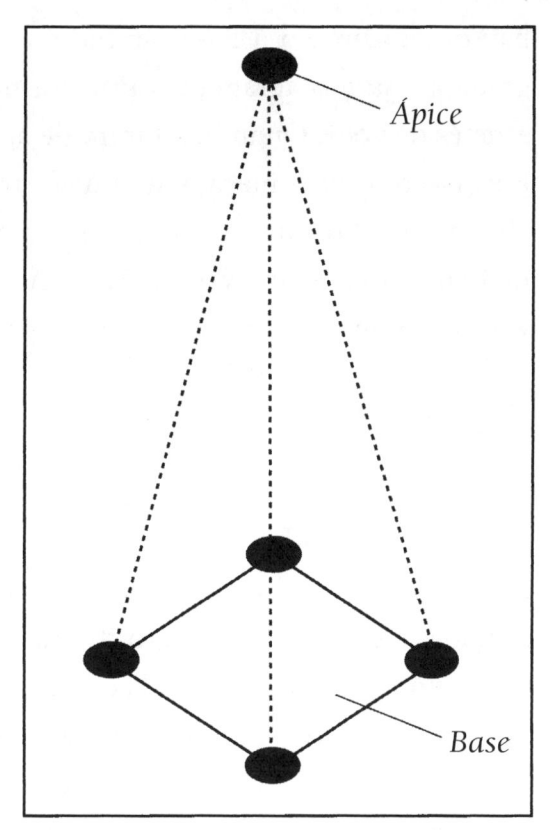

Diagrama E

Lembre-se da regra: para onde quer que vá sua consciência, uma linha energética se forma. De modo que, quando você leva a sua consciência para o Ápice, uma linha de energia é formada. (Veja o Diagrama E.)

À medida que o Ápice envia sua energia para baixo, para cada posição marcada, uma linha energética se forma, de cima para baixo, em direção à Base, criando a forma de uma Pirâmide Sagrada. (Veja o Diagrama E.) Essa forma começa a ancorar na Base através de você. Quando a Pirâmide ancora sua energia na Base da Formação, esta começa a se transformar num outro nível. Ela se abre e, à medida que faz isso, você precisa estabelecer sua conexão mais profundamente com a Base. A sensação pode ser a de que você é a Base; isso é natural. Mova-se com suas experiências!

A Pirâmide

A energia da Pirâmide Sagrada é ilimitada na forma e em sua multidimensionalidade. Essa forma sagrada permite que uma quantidade ilimitada de experiências ocorra a você dentro da estrutura sagrada, e exista um número ilimitado de processos de Iniciação esperando por você, à medida que estiver pronto para se desenvolver. Cada experiência de Iniciação é monitorada e apoiada pelos Pleiadianos e pelas Forças Espirituais.

Quando eu falo que a sua experiência está sendo monitorada, quero dizer que os Pleiadianos vão se certificar de que as energias de luz que você incorpora não serão excessivas para o seu sistema elétrico integrar, e que você será constantemente apoiado em sua capacidade de integrar essas energias.

Haverá novas experiências se abrindo para você toda vez que trabalhar com as energias sagradas. A Pirâmide tem uma série de energias de Iniciação que irão levá-lo cada vez mais para dentro de si mesmo. Solte e permita que essa energia sagrada trabalhe dentro de você; solte e deixe que a sua jornada aconteça. Quanto mais relaxado você estiver, mais será capaz de receber a orientação canalizada que está disponível para você dentro da Formação. Quanto mais permitir sua própria experiência, mais será capaz de se abrir para esses novos níveis de si mesmo dentro de espaços dimensionais diferentes.

Suas células irão passar por uma rápida mudança energética, e a energia da Formação irá ajudá-lo na plena integração dessas energias.

A Coluna de Luz

Depois que a Pirâmide está ancorada na Base, surge uma Coluna de Luz, que desce a partir do Ápice, na direção do interior da Base da Formação. A Coluna de Luz é também uma consciência separada; sua função é diferente da do Ápice. (Veja o Diagrama F.)

A Coluna contém uma poderosa qualidade de amor e você pode acessá-la ao levar a sua consciência em direção à sua luz. A Coluna de Luz lhe confere uma abertura direta para o aspecto mais elevado do seu Self de luz. É um Mestre, trazendo-lhe conhecimento e despertar. Ela ajuda a abrir a sua consciência de modo que você possa perceber mais facilmente as energias que estão aqui para ajudá-lo na sua jornada neste plano terrestre. É importante respirar quando você se abrir para a energia da Coluna. Ao trabalhar com essas

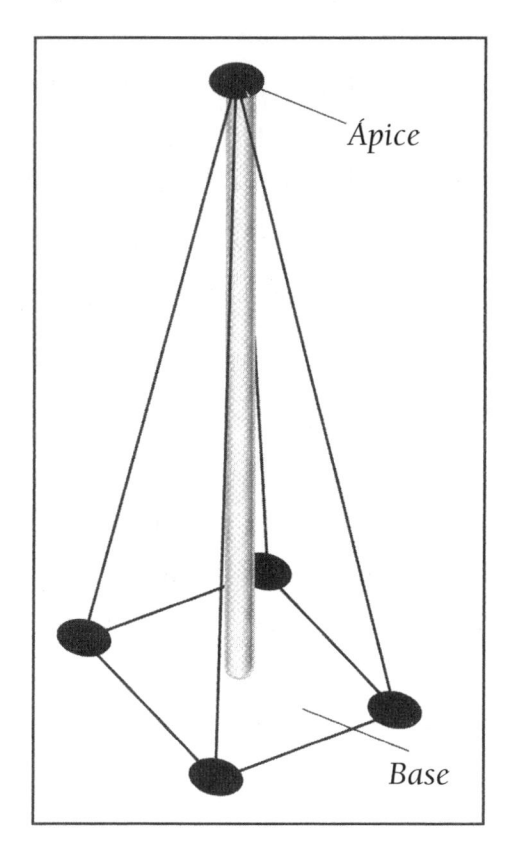

Ápice

Base

Diagrama F

energias, elas irão ajudá-lo a se abrir muito mais completamente para a energia de luz expandida da Coluna e a integrar essa energia às células do seu corpo.

A Coluna traz uma energia de cura e luz para as células do seu corpo, que abre um fluxo de acesso ao seu Self. Ela lhe dá acesso, como um Mestre, para que você se abra e receba novos entendimentos e informações sobre o seu próprio caminho e jornada. Quanto mais você estiver disposto a soltar, mais a Coluna de Luz pode trabalhar com você. A Coluna vai abrir novos alinhamentos para a canalização. Esses alinhamentos vão começar a se desenvolver e a se expandir através de você, dando-lhe acesso à comunicação direta com o Self e os Reinos Espirituais. Quando o seu próprio canal se torna mais definido dentro de você, ele permite que você tenha acesso a um nível mais profundo de comunicação com os Reinos Espirituais, e com as energias e o alinhamento com o Self. A comunicação com o Self lhe traz clareza sobre o seu caminho e sua jornada, bem como os passos que precisam ser dados para fazê-lo avançar na direção em que você precisa ir. Ela traz a você uma compreensão da sua jornada e um novo nível de clareza para você utilizar na sua vida cotidiana aqui neste plano terrestre.

Esse entendimento e clareza fazem com que fique muito mais fácil percorrer o seu caminho através da ilusão da terceira dimensão — avançar e seguir o fluxo das experiências em dimensões superiores no dia a dia. Eles permitem que você seja mais consciente no dia a dia neste mundo tridimensional e o ajudam a viver sua vida de forma consciente, momento a momento, de modo que você seja capaz de ficar conscientemente alinhado durante as suas experiências aqui. É assim que você se move nesse fluxo energético da sua própria luz. Essas Iniciações lhe darão acesso a essa clareza. Com essa clareza você se conecta ao seu próprio poder pessoal e age naturalmente para cocriar o seu mundo.

Na Formação, muitas vezes a Coluna preenche o espaço da Pirâmide com a sua consciência, e quando faz isso, a energia da Pirâmide se expande para outros níveis dimensionais dela mesma. Ela pode também se mover para baixo, através de seu corpo físico. Ela atua dentro das suas células e, enquanto gera esses novos alinhamentos de canalização, criando novas conexões para você trabalhar, ajusta seus níveis energéticos para que você possa expandir suas energias de forma mais completa. Você vai descobrir que desenvolveu seu próprio relacionamento individual com a consciência da Coluna. A comunicação com a Coluna acontece quando você leva a sua consciência até ela. Esta pode começar a se comunicar com você através de um processo de transferência de pensamento. Essa forma de comunicação por meio de energia pode lhe trazer conhecimento e ajudá-lo na compreensão da Verdade e alinhamentos com o seu Self. Quando essa comunicação acontece, você é capaz de desenvolver um relacionamento e uma profunda conexão com a Coluna e com essa consciência de luz. Cabe a você optar por desenvolver esse relacionamento ou não.

Energia da Espiral Sagrada

A energia da Espiral Sagrada é encontrada na Coluna de Luz. (Veja o Diagrama G.) Ela se move para baixo através da Coluna, para dentro da Pirâmide e de você. O papel principal da Espiral é integrar as energias de luz através das suas células. Ela também rompe as barreiras do ego, permitindo que você acesse mais facilmente a energia do coração. Dá-lhe apoio enquanto você viaja através dos

Ápice

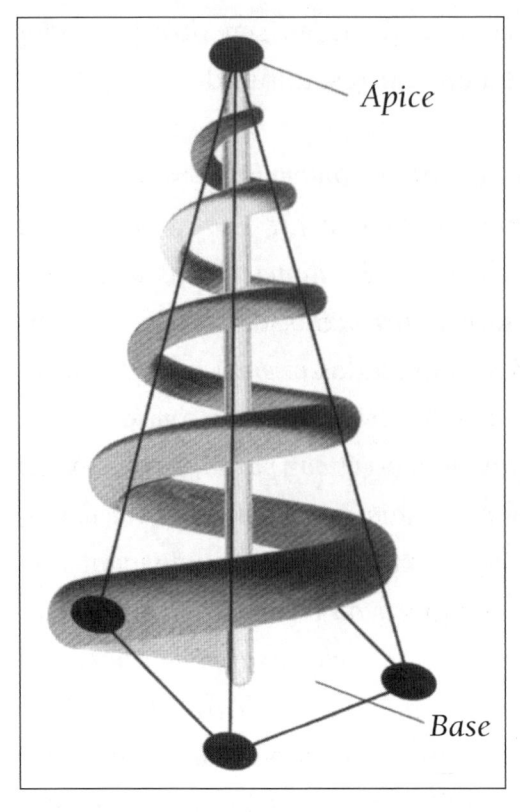

Base

Diagrama G

espaços dimensionais, à medida que eles se abrem. A Espiral tem uma consciência separada. Quando ela estiver presente, você muitas vezes perceberá um movimento físico através do seu corpo. Pode ser uma experiência física muito profunda. Confie nisso e simplesmente se entregue enquanto a Espiral leva você energeticamente aonde você precisa ir. Deixe a sua própria transformação acontecer enquanto a Espiral desemaranha você com sua energia e movimento. Esse desembaraçar é importante porque você é como um novelo de lã emaranhado se soltando. A Espiral o abre para que você possa receber a luz, e se curar através das células, liberando o "manter-se firme", o esforço e o cansaço nas células.

Você vai construir relações sagradas com o Ápice, com a Pirâmide, com a Coluna da Luz e com a Espiral Sagrada. Essas relações terão um impacto duradouro e forte em você, apoiando-o na sua transformação de modo constante e diário. Você pode realmente relaxar e permitir que uma aliança natural aconteça, porque esse é um processo natural. Essas energias conscientes estão aqui para apoiá-lo em suas diferentes fases de nascimento. São vários níveis do seu nascimento: você dá à luz a você mesmo com o apoio e amor do Espírito, e dos Pleiadianos. Essas forças energéticas estão aqui para ajudar; elas sempre estiveram aqui para ajudar. Abra-se para receber a abundância que é o seu direito natural. Abra-se para os vários níveis de ajuda disponíveis para você *agora*. Esteja disposto a receber.

Lembre-se de que cada pessoa assume o seu lugar de maneira diferente na Formação; um não é mais do que o outro. Então se você está com outras pessoas fazendo essa Formação, cada um terá uma experiência única e individual. É importante compreender que você não depende de ninguém dentro da Formação para ter a sua experiência individual. Sua experiência depende completamente de você e do tipo de ajuda que você irá permitir durante a Formação.

Haverá momentos, durante essas jornadas de Formação, em que você poderá receber informações, ensinamentos, símbolos energéticos e formas. Esses instrumentos energéticos são energias de Iniciação que você está pronto para receber. Elas podem ser apenas para você, ou podem ser para você compartilhar com o mundo, mas você pode confiar no que recebe. Abra bem seu coração e receba as dádivas que lhe são concedidas. Saiba que elas são oferecidas com grande amor.

Essas dádivas são concedidas apenas quando você está pronto para recebê-las e pronto energicamente para utilizá-las. É essencial levar a sua consciência até essas energias, que vêm sob a forma de símbolos, e fazer a Respiração Consciente. Isso ajudará as células do seu corpo a conseguirem integrar e utilizar essas energias de forma mais completa. O que você está realmente fazendo é recuperar os aspectos do seu poder pessoal e integrá-los em seu campo energético.

Solução de problemas

Se você está tendo dificuldade para experimentar qualquer coisa na Formação:

1. O problema mais comum é você não entrar totalmente em seu corpo. A maior parte de sua energia está na mente do ego, por isso você está deixando de aproveitar a sua experiência. Você precisa colocar as mãos no peito, sentir a pressão delas ali e respirar. Ao fazer isso a sua energia se afasta da mente do ego e você entra no corpo. Isso pode ser feito antes de iniciar a Formação ou durante a Formação.
2. Você está tentando visualizar sua experiência, o que significa que a sua mente está tentando fazer algo acontecer ou ver alguma coisa. Isso irá deter a sua experiência, porque a mente não pode se conectar com as energias verdadeiras desses espaços dimensionais. A mente se limita àquilo com que pode se conectar. Assim, como anteriormente, entre em seu corpo e afaste-se da sua mente do ego. Você precisa "esperar ativamente" que algo aconteça. Isso significa apenas relaxar enquanto espera e respirar até começar a ver ou perceber ou sentir alguma coisa acontecendo. Em seguida, concentre a atenção nessa experiência e respire.
3. Às vezes, na Formação, você pode sentir um aspecto da Formação de modo mais forte do que outro. Por exemplo, a Base pode ser muito sutil, quase inexistente, e o Ápice ou a Pirâmide podem ser muito fortes. Às vezes você precisa de uma energia mais forte de uma consciência do que de outra para o seu desenvolvimento, por isso, nessa situação você experimentará uma forma da Formação mais do que outra. Você pode confiar nela. Suas necessidades variam de jornada para jornada.

Trabalho de Formação

Mova o corpo quando for preciso. Seu corpo pode ter necessidade desse movimento para integrar a nova energia que entra nas suas células. O movimento abre as células para a sua luz de Iniciação, permitindo a transformação. E, às vezes, com esse movimento de luz nas células, há um som que precisa ser liberado de você. Pode ser como um suspiro alto, ou pode ser um som ou tom muito alto. Essa é a energia densa saindo do corpo. Essas energias densas às vezes podem sair através do som. Isso permite que uma cura profunda ocorra nesse momento; isso é uma libertação para você.

Dê-se conta de que, às vezes, os sons podem atuar como integradores e às vezes podem alinhar você com o seu poder pessoal. Não segure seu som, ele é poderoso. Torne-se o som e entre nele.

Depois do seu processo de Formação convém se deitar e reservar bastante tempo para integrar tudo o que você recebeu. Muitas vezes, durante esse tempo, você percebe o quanto recebeu na sua jornada. Você começa a se abrir para a energia de cura que se desloca através do seu corpo, e a receber compreensão e informações de que precisa para dar o próximo passo em sua jornada. Inspire o ar para dentro do seu corpo e solte, abrindo-se para receber.

◇◇◇◇◇◇◇◇◇◇

Agora é hora de ouvir a terceira faixa gravada no site. Vou estar energeticamente com você nesse processo. Abra-se para o apoio dos Pleiadianos, do Espírito e de qualquer energia com a qual você queira trabalhar individualmente, para auxiliá-lo nessa jornada. Divirta-se! Respire e esteja vivo!

Capítulo 4

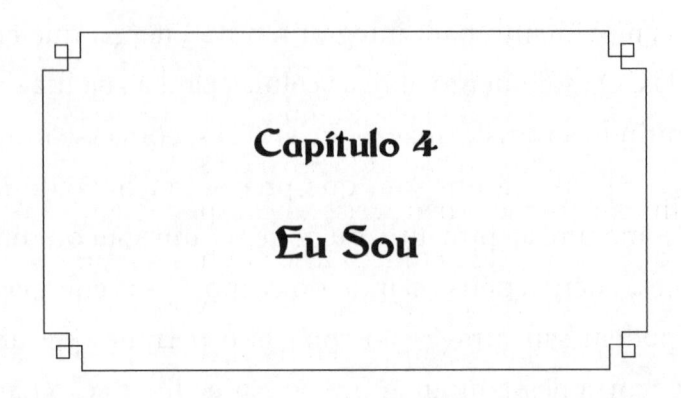

Eu Sou

A declaração mais poderosa que você pode fazer são as palavras *Eu Sou*. Essas simples palavras, ditas de forma consciente, ativam uma verdade. Essas palavras declaram ao Universo que você tem um lugar divino só seu dentro da Unidade, e que, conscientemente, reivindica esse lugar. Isso é tremendamente poderoso. Desencadeia uma reação em todo o Universo, ativando sua assinatura energética e irradiando-a para fora. Você começa a se alinhar com essa onda energética de luz dentro do Universo, através das células, enquanto cria uma abertura energética. Cada um de nós tem um lugar único no Circuito Universal da Consciência Universal.

Eu o comparo a um quebra-cabeça. Sua peça, exclusivamente sua, só pode caber dentro desse lugar. Então, quando você reivindica o seu lugar com as palavras *Eu Sou*, você ativa a sua energia dentro do seu lugar no Circuito Universal. Ela vibra e se expande em luz cada vez que você a reconhece, usando as palavras *Eu Sou*. Vai para o Universo, e sua assinatura única de luz se irradia para fora, criando uma onda brilhante de luz através do Universo, ancorando neste plano terrestre dentro da sua vida. Essa ativação do seu alinhamento também cria um despertar em suas células, de modo que cada célula começa a se alinhar com o seu lugar no Circuito Universal. Ao pronunciar as palavras *Eu Sou*, você está ancorando de modo crescente o seu lugar na Consciência Universal, dentro do seu lugar no Circuito. Cada célula vibra com essa essência divina ativada, que cria um novo nível de aceleração na célula. Essa aceleração é uma nova força vital que vem da ativação do seu lugar no Circuito Universal. Com esse alinhamento, a cura começa a acontecer dentro do seu corpo físico.

Esse processo de autorrealização é você começando a se alinhar com a sua matriz energética para esta vida — a matriz que você escolheu para si mesmo. É o que você decidiu fazer aqui: a sua missão e suas lições. Assim, o despertar para a sua matriz ocorre quando você se alinha conscientemente com a energia dessa matriz e, em seguida, começa consciente e ativamente a vivê-la em sua vida. Cada vez que você usar as palavras *Eu Sou*, isso alinha você em outro nível dessa matriz. Elas ativam outro nível do seu aspecto divino em você, trazendo essa essência do Self para sua vida de um modo poderoso. É você dando à luz a si mesmo com as palavras *Eu Sou*.

Você está sendo chamado agora a começar essa ativação poderosa dentro de si mesmo. É a hora de você assumir o seu lugar dentro do todo. Você é necessário *agora*. Você está sendo chamado a avançar, de modo consciente, e a assumir o seu lugar no Universo, utilizando as palavras *Eu Sou*. Faz uma diferença enorme quando você dá um passo à frente conscientemente — o momento em que você toma o seu poder de volta e diz: "Sim, eu estou aqui! Eu reivindico o meu lugar, eu tenho um lugar. *Eu Sou*!"

Cada célula do seu corpo começa a reagir — a acelerar e a alinhar-se com o fluxo energético do seu lugar no Universo. Você percebe o seu lugar se abrindo neste plano terreno, e entra num novo senso de fluxo na sua vida. Suas células começam a vibrar de um jeito novo, porque elas ficam mais vivas quando se alinham com essa energia do seu Self e criam um novo alinhamento com todas as formas de vida, em todo o Universo. Elas abrem você para a experiência direta de uma união com todas as coisas; você começa a experimentar um novo sentido de unidade, e um incrível amor que na verdade começa a nascer através das suas células. Você começa a vibrar amor!

Quando começa a se abrir para essa vibração de amor, você reconhece e lembra que esse amor existe em tudo, em cada momento. A verdade é que você é o amor. Nós estamos pedindo que você se abra para o milagre que é você mesmo, e *se* acolha.

Ao dizer as palavras *Eu Sou*, sinta o poder dentro de você, sinta que as células começam a vibrar e a se alinhar. Use a respiração enquanto profere as palavras; a respiração ajuda nesse alinhamento. Esteja consciente de seu coração, colocando a mão sobre ele e concentrando a sua consciência nele. O amor é ativado através das células do seu coração. Um despertar ocorre no seu coração. Pode ser um momento tocante quando a alegria começa a transformar o coração.

Que desafio é viver de forma consciente e ser um catalisador para o mundo! Cada vez que encontramos uma parte de nós mesmos e nos desdobramos nessa parte de nós, rompemos uma barreira para que outros também possam se curar, se transformar e começar a se conectar, de modo que possam assumir o seu lugar dentro do Todo Universal. Esteja consciente de que esse é um processo de recordação. Você está acordando e pegando o seu poder de volta, realinhando-se, e realinhando as células, a fim de começar a vibrar com as energias da quarta/quinta/sexta dimensão.

Agora que você está começando a viver em alinhamento com o coração, com a nova vibração de amor — *Eu Sou* —, é hora de se abrir para uma nova forma de ser e viver no mundo. Quando você está vivendo num estado consciente, aberto para o que está ao seu redor, você começa a assumir a responsabilidade pelo que está acontecendo em seu mundo. Isso torna possível então que você se abra para as mensagens e dádivas que estão presentes para você, e seja capaz de utilizar esses dons. Na verdade, você se torna um presente para o mundo, sendo tudo o que pode ser em cada momento. Quando você ativa a sua assinatura energética única no Circuito Universal, esse é verdadeiramente o início do seu processo de autorrealização.

O modo como escolhemos viver, a disciplina que temos e a devoção por nós mesmos ditam como vão ser as nossas experiências. A dedicação por si mesmo é um componente-chave para o contínuo desenvolvimento do Self, e parte dessa devoção é estabelecer uma disciplina dentro de si. Isso cria uma ação de amor por si que abre nossos corações para a alegria. Portanto, o que fazemos e como fazemos as coisas em nosso mundo tem um resultado direto nas experiências que criamos para nós mesmos. O modo como enfrentamos ou recebemos tais experiências ou desafios em cada momento, e as ações que praticamos, são o que criam o nosso mundo. Vivemos o resultado das nossas ações. É como plantar sementes em um jardim; colhemos o que semeamos.

Não há separação no Universo: quando você dá para si mesmo, os outros automaticamente recebem. Não estamos separados de nada; só existe Unidade. Essa é uma Verdade. Quando você encontrar a energia do *Eu Sou* no seu mundo, ocorrerá uma expansão no seu ser e nessa expansão você sentirá uma consciência maior desse seu aspecto de luz. Você vai sentir como se tivesse de algum modo se tornado mais definido para si mesmo. Haverá um sentimento mais profundo de que você pertence a algo maior, por causa do aspecto de Unidade da energia do *Eu Sou*. Você ficará naturalmente mais concentrado em si mesmo a cada momento, o que lhe permitirá ficar automaticamente presente para todo mundo. Você vai se tornar uma força de cura natural neste Universo, porque você estará conectado com a Unidade. Quando vivemos nesse estado, ficamos naturalmente alinhados com os outros. Isso faz parte da Economia Divina da vida; temos contato com a essência de Deus nas outras pessoas como parte do Todo Universal, e isso nos permite sustentar naturalmente um espaço para que cada pessoa nasça para si mesma na sua luz, e reivindique o seu direito natural, quando estiver pronta.

Cada pessoa escolhe o seu momento para se alinhar com o Self; não é nossa responsabilidade quando ela escolhe fazer isso. É importante respeitar o processo individual de cada um, e a maneira como ela escolhe viver cada momento. Mas é incrível como pode ser poderoso para as outras pessoas testemunhar o seu desenvolvimento. É por meio do seu exemplo vivo que elas podem se sentir inspiradas a seguir as suas próprias etapas. A energia que você carrega ao andar pelo mundo causa impacto em todos os que entram em contato com você. Quando colocamos nossa atenção em outra pessoa, nós nos afastamos de nós mesmos e do momento, e, quando se afasta do momento, entramos na separação. Tendemos a colocar nossa atenção em outra pessoa quando não queremos sentir o que está acontecendo dentro de nós mesmos.

Tudo o que fazemos gera uma reação no mundo: cada ação e cada pensamento. Pensamentos e ações criam uma onda de energia que se irradia para o mundo, possibilitando que você faça a diferença neste plano terreno. Nós podemos criar conscientemente cada momento quando nos conectamos com o *Eu Sou*. Parte da ilusão da terceira dimensão é o sentimento de que não podemos ser tão poderosos assim e que não fazemos diferença neste Universo. Na verdade, somos tão poderosos com nossos pensamentos, que cada um de nós tem uma oportunidade a cada momento de cocriar aqui no plano terreno e no Universo inteiro!

Podemos caminhar com cuidado sobre este plano terreno, com suavidade, mas poderosamente, assumindo nosso lugar e avançando com consciência, amor e respeito por toda a vida, incluindo nós mesmos!

A vida é o Mestre

Cada momento da vida é uma dádiva. Estamos sendo solicitados a trabalhar de forma consciente com o que nos é apresentado em nossas vidas. Não somos vítimas; a nós são dadas escolhas, a cada momento, de como reagir em cada situação da nossa vida. Cada resposta, na verdade, se resume a duas reações: o amor ou o medo. A chave é reconhecer as mensagens encerradas em cada situação da vida que nos é apresentada, e depois entender quais experiências nos trouxeram para aquele momento. Aprenda como se interiorizar e a trabalhar com os sentimentos presentes em sua experiência. Existe um processo simples para isso. Os sentimentos são a chave, então a questão é se perguntar: *"O que estou sentindo agora?"*

Quando você começa a *sentir* e se deixa ficar com o sentimento, a sua resposta ao medo pode se transformar numa sensação de paz e clareza. *Sentir* é libertar-se, pois, depois que você sente o que está ali, a energia em torno da situação que se apresenta é transformada.

Muitos têm medo dos próprios sentimentos. Saiba que seus sentimentos não são quem você é; os sentimentos não podem feri-lo. Dê-se permissão para apenas sentir. Você não tem que justificar o que o sentimento é; ele não tem que fazer sentido e não tem que ser lógico para a sua mente do ego. Apenas deixe-se ficar com esse sentimento tão completamente quanto possível, e então ele pode deixar o seu corpo. Ao fazer isso, você começará a experimentar uma sensação de liberdade, um alívio profundo, e perceberá algo saindo de dentro de você. Quanto mais disposto você estiver a sentir no momento, mais será capaz de avançar e fluir com a vida, e você terá uma nova clareza.

Quando aceita conscientemente a verdade de que a vida é o Mestre, você conquista sua liberdade. E a conquista porque não acredita mais que você é a vítima. Em vez disso, você assume um papel ativo e responsável na sua vida. Começa a conhecer as experiências da vida de um modo consciente.

A vida é como um oceano: as ondas não param de chegar. Algumas são pequenas e divertidas, algumas são enormes e desabam sobre nós, mas as ondas nunca param de chegar. Assim é com a vida; há o movimento constante e os desafios, e eles nunca param. A única coisa com que você pode contar é com o fato de que o sol vai nascer a cada dia e que os dias e as situações continuarão se sucedendo. Você não pode controlar as situações que surgem, e não pode controlar o que os outros vão fazer. Mas você pode contar consigo mesmo, e com a maneira que escolheu de enfrentar cada experiência. Você pode se abrir para si mesmo e se ancorar no *Eu Sou*.

Você pode caminhar na direção das ondas com o coração aberto e, quando a onda vier, você pode deixar que o atinja e o coloque de volta no chão, sobre os seus pés.

Você pode caminhar em direção à onda e mergulhar nela.

Ou pode deixar a onda desabar em cima de você.

Ao começar a viver cada vez mais em seu coração com a energia do *Eu Sou*, você vai passar a sentir uma grande diferença no modo como enfrenta as ondas em sua vida. Terá uma visão mais clara das situações da sua vida, e essa compreensão vai tornar muito mais fácil a tarefa de lidar com as soluções.

A luz do Self será capaz de abri-lo para soluções criativas. Você vai começar a trabalhar com essa clareza no seu dia a dia. Seu alinhamento com o amor, que é ativado pelo *Eu Sou*, o levará cada vez mais a se aprofundar na Verdade e na clareza do Ser, levando-o a viver num estado de autorrealização.

Agora eu quero que você se abra conscientemente para esse alinhamento com a energia do *Eu Sou*. Comece por levar as mãos ao peito e inspirar o ar. Continue a inspirar e expirar, inspirar e expirar. Conscientemente, solte e mergulhe profundamente na consciência do seu corpo: você respirando a si mesmo, você sentindo você, neste momento — nada além de você e da respiração.

Quero que você comece conscientemente a se abrir para as palavras *Eu Sou*. Fale as palavras. Feche os olhos. Respire. Você pode falar as palavras em voz alta ou silenciosamente para si mesmo. *Eu Sou*. Enquanto você diz as palavras, esteja consciente de que começa a reivindicar o seu lugar aqui no Universo e, enquanto se abre e diz *sim* a isso, fale as palavras de novo: *Eu Sou*.

Solte, neste momento. Solte todas as coisas deste mundo tridimensional, descanse na verdade do Self, enquanto se abre dizendo as palavras mais uma vez: *Eu Sou*. Você pode sentir uma paz profunda quando se abre para a energia que é ativada por seu intermédio, quando esse novo alinhamento começa a ser ativado em suas células. Ela pode ser sutil, ou pode ser forte. Pode haver uma profunda sensação de alívio quando essa conexão é feita. Lembre-se, você está tomando de volta o seu poder, abrindo-se para o seu lugar. Com cada declaração do EU SOU, o alinhamento cresce. Você pode falar as palavras ao longo do dia, construindo o alinhamento, através das suas células e através do seu coração.

Saiba que estou energeticamente com você em sua jornada. Dou-lhe as boas-vindas enquanto você dá esse passo adiante. Há uma comemoração quando você assume conscientemente o seu lugar dentro da Consciência Universal. Ocorre uma forte aceleração no seu lugar no Circuito Universal quando você ativa o alinhamento dentro das células do seu corpo.

◇◇◇◇◇◇◇◇◇◇

Agora ouça a faixa 4 gravada no site. Cada vez que ouvi-la, você se abrirá para novos alinhamentos dentro de si mesmo. Ela foi projetada para o seu nascimento. Solte e deixe que suas próprias experiências ocorram cada vez que você ouvir essa faixa. Abra-se para o seu sistema de apoio, que está em ação em todas as suas jornadas aqui. Lembre-se de que você pode evocar a ajuda do Espírito e dos Pleiadianos, se quiser. Os Pleiadianos e o Espírito estão com você, testemunhando o seu nascimento e comemorando junto com você!

Tenha uma grande jornada!

Capítulo 5

Seja Feita a Tua Vontade

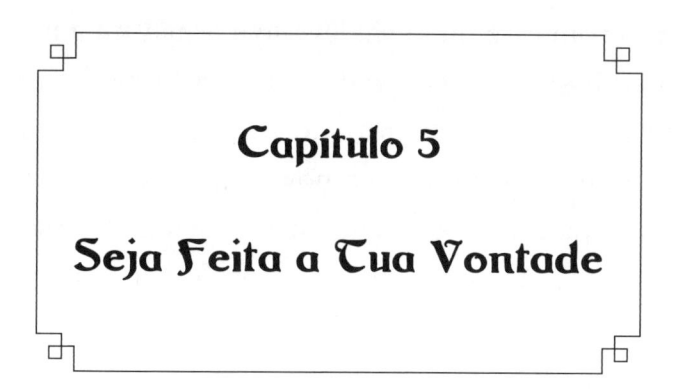

O que significam as palavras *Seja Feita a Tua Vontade*? Trata-se de uma poderosa declaração de entrega, de rendição ao seu aspecto divino do Self, permitindo-se ser guiado por esse Self e levando a mente do ego a assumir novamente a sua função original de trabalhar com a organização das tarefas tridimensionais da sua vida.

A entrega ao Eu Divino permite que a sua luz o guie ao longo da vida, e que você se abra, confiando nessa orientação e seguindo-a. É uma declaração de que você está ativando essa conexão e dizendo *"Sim, eu me abro e permito que me seja mostrado o caminho, e me comprometo a seguir a orientação emanada da Luz do Self, através do meu Coração Sagrado"*.

Então, quando declara "Seja Feita a Tua Vontade", você se ancora num fluxo de luz, que é o fluxo da sua divindade única. Seu alinhamento com esse fluxo vai levá-lo a tomar uma nova direção em sua vida. Esse fluxo energético irá levá-lo na direção da vida que alinha você à missão única que veio cumprir e concluir aqui nesta vida. O fluxo vai levá-lo a novos níveis de experiência que o despertarão para o fluxo energético de seu Self. Esse despertar ativará uma conexão consciente mais profunda com esse aspecto do Self. Você sentirá a experiência de viver sem esforço no fluxo da sua luz. À medida que essa conexão com o fluxo se aprofunda, você vai vivenciar a si mesmo em um novo caminho. A confiança é um ingrediente importante nas etapas iniciais desse processo. Ao se abrir pela primeira vez para esse alinhamento do fluxo, não permita que a mente do ego sabote seus primeiros passos. A confiança permite que as portas de novas oportunidades se abram e, quando essas portas se abrem, você só precisa respirar, confiar e atravessá-las rumo a algo novo. Um novo sentido de Verdade começa a vibrar através de você enquanto dá esses passos.

Se você simplesmente pousar a mão no coração e respirar, será capaz de sentir seu coração responder a essa Verdade, e o passo seguinte que você está prestes a dar vai expandir a sua energia. Isso significa que você vai sentir o passo seguinte mais completamente. Quando estiver em dúvida, sempre pouse a mão sobre o coração, traga a sua consciência para ele e respire. A ideia vai ficar mais forte se ela fizer parte do fluxo, ou mais fraca se for da mente do ego. Esse processo sempre funciona, e irá ajudá-lo nos estágios iniciais dessa jornada de mudança que você está empreendendo, enquanto se ajusta a essa nova forma de ser e ganha confiança nessa nova maneira de viver.

Cada vez que você fala as palavras *Seja Feita a Tua Vontade*, o alinhamento se fortalece e se expande através de você, ligando-o mais profundamente ao fluxo do Self. Essa Verdade está evocando a "luz do Self". Simplesmente siga com a corrente da sua luz, como a corrente de um rio, sem fazer esforço, deixando-se seguir o seu caminho amparado pela luz do Self.

Essas palavras não vão tirar o seu poder; elas vão levá-lo a um alinhamento mais completo do seu poder. Você estará simplesmente se abrindo a um aspecto dimensional mais elevado de si mesmo, o seu Self de luz, cada vez que se alinhar com a frase "Seja Feita a Tua Vontade". Você sempre foi capaz de acessar esse aspecto de si mesmo, embora até este ponto você tenha precisado viver na experiência humana tridimensional da separação.

Agora é a hora do seu despertar, e é importante que ele seja consciente: que você se mostre consciente para si mesmo; empreenda ações conscientes; e reivindique o aspecto divino em você. Não apenas reivindicando, mas alinhando-se conscientemente consigo mesmo nessa nova maneira.

Você está verdadeiramente se alinhando com o seu fluxo. Esse fluxo é uma luz energética do ser que pode ajudá-lo a seguir na direção da abundância em todos os níveis. Essa é a sua abundância natural, parte do seu direito natural, que cada um de nós tem o direito divino de receber. Cada um de nós tem a sua própria abundância. É impossível ter demais ou tomar algo de qualquer outra pessoa, portanto você pode se abrir livremente para toda essa abundância, sabendo que todos têm acesso à sua própria abundância quando estão prontos para recebê-la.

Fluxo

O que significa *fluxo*? O fluxo é o seu alinhamento energético com uma corrente. Você faz parte dessa corrente, que é a sua própria assinatura única do Todo — a Consciência Universal ou a Unidade. Estar ligado ao curso desse rio é ser levado a se alinhar com o aspecto divino da sua luz, portanto você se alinha com o ritmo natural e atual do Self. Você entra em seu rio e é levado sem esforço por essa corrente, aberto para novos caminhos que lhe dão acesso a um nível ilimitado de energias multidimensionais e aspectos de si mesmo. Isso permite que você se abra para novos níveis de compreensão e clareza em sua vida, dentro deste mundo. Cabe a você saber o quanto você está disposto a se abrir em cada momento; há níveis ilimitados de informação e de energia disponíveis para você a cada momento da sua experiência, para que você possa aproveitar e se tornar parte dela. À medida que passa a fazer parte desse fluxo, você experimenta uma sensação nova de paz e quietude. Você será naturalmente alinhado com o lugar determinado para estar em sua vida, porque o fluxo leva você para esse alinhamento.

Quando está conectado com esse fluxo natural, você é levado a um estado natural em que dá à luz a si mesmo, para que possa prosperar com o apoio energético dentro da energia universal. Ele permite que as suas células se alinhem com uma nova força vital do seu Eu Espiritual, de modo que a cura possa ocorrer em todos os níveis. Esse aspecto divino da sua luz — que nós chamamos de Self — está aqui para ajudá-lo a viver a sua missão neste plano terreno, apoiá-lo e guiá-lo no seu direito natural de ter abundância em todos os níveis.

Cada célula começa uma ressurreição e um realinhamento com a Verdade, porque há todo um novo despertar ocorrendo. Ele começa nas células do coração. Então você começa a ressoar em um nível totalmente diferente, com uma força vital ampliada, e quando isso acontece, você começa a atrair para si novas experiências, novas pessoas e novas oportunidades. Você começa a se alinhar com o que é seu por direito, dentro do Universo.

Seu sentido de clareza irá levá-lo aonde você precisa ir. As palavras *Seja feita a Tua Vontade* continuam a ativar esse processo cada vez mais profundamente, alinhando suas células com a Verdade e a clareza em sua vida.

Há uma entrega que precisa acontecer, uma renúncia da mente do ego em favor do coração. O coração está diretamente ligado ao seu Self. Então, na realidade, você entrega a mente do ego para o seu coração — para uma ligação direta com a luz do Self. Você entrega a preocupação, a luta e o medo para a luz do Self, e entra nesse fluxo que vai levá-lo rumo à alegria, à autorrealização e à clareza. Você vai sair da ilusão tridimensional da luta, do medo e da falta, e se alinhar com as energias da quarta, quinta e sexta dimensões, que levam você para aspectos do seu Self ilimitado. Esse Self ilimitado pode criar, pois é fonte do amor sem limites do Universo, e curar a si mesmo.

Com o alinhamento desses espaços dimensionais você deixa para trás o sentimento de "falta"; abre a porta da prisão em que se colocou em muitas vidas, ressuscita a si mesmo, tirando-se da limitação e da *falta*. Você reivindica a si mesmo em seu potencial ilimitado.

Estamos esperando por você, para que assuma o seu lugar. Ninguém pode preencher esse lugar que lhe pertence.

Como resultado da preocupação, do medo e da luta constantes, ocorre um acúmulo de tensão dentro das suas células. A tensão acumulada cria um estado de mal-estar dentro do corpo, e esse estado dá origem à *doença*. Mas, quando você estiver em alinhamento com o fluxo da sua luz, esse stress e mal-estar que têm se acumulado dentro de suas células podem começar a deixar o corpo. Quando o stress deixa as células, elas são preenchidas com a energia de luz do Self e a regeneração ocorre através de todos os seus órgãos e células do corpo. Sua cura física começa a acontecer.

Quando deixa de lado o esforço de *tentar* e apenas começa a *ser*, os seus níveis de energia começarão a se expandir, porque você não estará mais usando a sua energia nas tentativas. Isso o leva a um novo nível de consciência — uma sensação de liberdade e de conexão consigo mesmo. Você passará a viver, cada vez mais, nesse estado de ser à medida que, cada vez mais, você seguir com o fluxo. Seu fluxo está levando você na direção do desejo do seu coração, conduzindo-o na direção da paixão do seu coração. Quando está fazendo aquilo pelo que tem paixão, você se torna verdadeiramente vivo, e nessa vitalidade existe um novo estado de ser que nasce dentro de você. Você vive através do seu coração, e há amor e paixão na sua existência. Você traz esse amor e essa paixão para o mundo.

Ao ser levado ao longo desse rio de luz, conduzido pela corrente, você vai se tornar consciente de que esse rio está desaguando em um oceano de luz. Esse oceano de luz é a Consciência Coletiva, a Unidade. Quando deságua nesse mar, você se torna até mais definido e expandido. Você não se perde aqui, mas se torna ainda mais definido dentro do seu aspecto divino único de toda essa energia do Universo. Você floresce. Traz uma singularidade de espírito para esse lugar, e há uma celebração de você. Você é totalmente recebido por tudo o que é e por tudo o que traz. Há amor dentro desse espaço que é edificante e glorioso. Nós estamos esperando por você, esperando que você assuma o seu lugar aqui!

Você não veio a este plano terreno apenas para resolver alguma coisa que não lhe satisfaz. Você tem direito à alegria, tem direito de amar e de se realizar. O fluxo alinha você com uma nova direção, na qual há uma paixão pelas coisas que faz e um propósito. A luz do Self irá guiá-lo e direcioná-lo e todo o Universo dará suporte a esse fluxo, abrindo os portais das possibilidades para você.

Sua vida vai passar por vários níveis de transformação, à medida que você se alinhar mais e mais. Esse alinhamento o ajuda a trabalhar dentro de si mesmo de uma maneira nova, a ser muito mais produtivo na forma como você conduz o seu dia a dia. Você começa a ter muito mais responsabilidade pelo que atrai para si mesmo na forma de experiências em sua vida, entendendo que os desafios trazem uma cura interior mais profunda e uma compreensão de um significado mais profundo da vida e do viver. Você não se sente mais sem controle sobre os acontecimentos ao seu redor, como uma vítima, mas está consciente de que pode usar essas experiências da vida como instrumentos de crescimento. Você pode se abrir para as experiências como um presente no momento. Seu coração se abrirá para lhe dar acesso aos seus sentimentos, momento a momento, e você ficará verdadeiramente presente a cada momento. Quando isso acontece, você se afasta da separação com relação ao Self. Agora você tem muitos instrumentos para trabalhar, para ajudá-lo a ficar em seu corpo e para trabalhar de forma consciente com os seus sentimentos.

Quando algo não vai bem em sua vida não é que você esteja sendo punido. É o Universo apontando-lhe que talvez você devesse estar fazendo algo diferente, ou que poderia haver algo que você precisasse sentir nesse momento. É importante analisar o que está acontecendo dentro da situação. Pergunte a si mesmo: *"O que há dentro de mim que eu preciso sentir?"*

Você precisa sentir para que possa limpar o que está lá, e então pode seguir em frente e a situação pode fluir novamente. É dessa maneira que você pode se manter conectado com o fluxo, e permitir que ele continue em movimento através da sua vida.

Cada momento tem uma qualidade única de amor que você pode receber. Isso nunca tem fim e é uma parte das nossas dádivas divinas aqui na Terra. E só pode ser sentido através do coração, quando você está no fluxo. Esse fluxo é a dádiva, a sua dádiva para si mesmo. Todas as soluções estão dentro do fluxo; todos os conhecimentos estão dentro dele. Há descanso para você aqui.

◊◊◊◊◊◊◊◊◊◊◊◊

Agora, quando você ouvir a quinta faixa gravada no site, eu o incentivo a dar permissão para o Espírito e os Pleiadianos trabalharem com você para que receba todo o benefício da energia que está aqui para você. É a sua vez de se abrir para o seu fluxo; esse é o começo. Cada vez que você ouvir essa faixa, ela irá levá-lo para um lugar mais profundo dentro do seu fluxo.

Vamos lá, deixe o seu Self levar você!

Lembre-se de respirar, levando o ar para todas as células do seu corpo, reconhecendo cada célula. Abra-se para a sua cura. É muito importante que você não siga necessariamente todas as minhas instruções, mas que esteja com a sua experiência em cada momento. Traga toda a sua consciência até ela e respire. Você pode passar pela experiência de ficar em um estado semelhante ao sono, que é uma passagem para outra dimensão, um local de elevadas frequências de luz além deste espaço tridimensional. É onde a cura acontece. Se você está com dificuldade para ter uma experiência, fique algum tempo com as mãos sobre o coração, respirando, sentindo o seu corpo, e atento à sua respiração.

É importante que você se abra para a linguagem dos Pleiadianos; ela irá ajudá-lo a se abrir mais para o seu fluxo, e a se expandir para o seu lugar mais completamente, dentro do oceano de luz.

Depois de ouvir a faixa, certifique-se de beber bastante água, para ajudar as células a integrar esse novo nível da sua luz e para que essa luz seja ancorada em suas células. Essa luz são os aspectos mais elevados da sua própria luz.

Tenha uma grande jornada!

Capítulo 6

O Perdão do Self, a Ressurreição do Self

Há alguns importantes processos emocionais internos necessários para a resolução de problemas com outras pessoas ou consigo mesmo, e com as situações da sua vida. Esses processos o libertam energeticamente para que você não tenha mais conflitos interiores, que criam separação dentro de si. São erguidos muros no seu coração e então você não é mais capaz de receber. Sim, os muros o protegem de situações e pessoas, mas eles também fecham o seu coração. Então você não consegue receber a orientação da sua intuição; não consegue receber amor e não consegue se abrir para o pleno gozo da vida e para o que está disponível para que você receba no momento. Você se separou do seu Self, fechou-se para as outras pessoas e isolou-se em seu mundo. Esses conflitos internos também criam doenças no corpo, à medida que a energia fica bloqueada.

O seu perdão ou o perdão de qualquer pessoa só pode acontecer quando a sua energia em torno da situação é neutralizada. Com o perdão, todo o diálogo interno em torno da questão acaba e você pode analisar a situação com calma, sem nenhuma energia emocional ligada à situação. É quando você começa verdadeiramente a ganhar clareza em torno da situação. O diálogo da mente do ego teve fim e você pode sentir a situação com o seu coração. Então você se torna capaz de acessar o aprendizado proporcionado nessa experiência — assumindo a responsabilidade pela sua participação nessa experiência. Aí você deixa de ser uma vítima da situação, e começa a operar a partir de um lugar de poder, pois você recebeu o ensinamento — a dádiva que veio com o problema. Isso acontece quando você trabalhou os seus verdadeiros sentimentos emocionais em torno da situação.

Para que isso aconteça, você precisa dar a si mesmo permissão para sentir seja o que for que esteja associado ao tema em questão. Esteja disposto a honrar o sentimento que está dentro de você e a permitir a plena expressão desse sentimento, não importa qual seja, lembrando que o sentimento não é quem você é, e que ele não pode feri-lo. Você tem permissão para sentir; você tem o direito de sentir seus sentimentos, sejam eles quais forem.

Abra-se para a sua Respiração Consciente enquanto está sentindo, para que a energia conectada ao sentimento possa deixar as células do seu corpo. Sinta, respire, e deixe o sentimento ir. Enquanto você respira, a energia da emoção pode deixar as células do seu corpo, criando uma verdadeira resolução dentro de si, e uma libertação verdadeira da situação. Se acumulamos sentimentos, segurando a energia dentro de nós, a energia do sentimento fica bloqueada nas células do corpo, criando um congestionamento nessas células. Então, não ocorre uma verdadeira resolução em torno da situação, pois os sentimentos não foram abordados. O verdadeiro perdão é impossível enquanto isso está ocorrendo.

A raiva é provavelmente a emoção mais difícil de nos permitirmos sentir. Há um estigma social associado à expressão da raiva: a desaprovação tácita de se expressar raiva. As pessoas em geral se sentem pouco à vontade com relação à raiva. Então, você precisa estar especialmente consciente de sentir toda a raiva ligada ao tema em questão, e dar a si mesmo permissão para senti-la inteiramente e expressá-la da maneira que você precisa. É um momento poderoso quando você apenas expulsa a raiva acumulada e, em seguida, deixa que ela se vá. Sua expressão de ira ou raiva não tem de ser direcionada a ninguém em particular; você pode deixar que ela se expresse em um espaço aberto, quando estiver sozinho ou na companhia de alguém neutro, que esteja aberto para testemunhar enquanto você a libera.

A palavra *perdão* é carregada de culpa, do ponto de vista energético, de modo que você precisa começar a se abrir para uma perspectiva diferente da situação, e trabalhar no sentido de soltar e se curar em muitos níveis diferentes relacionados às questões. Há uma forte energia no sentido de que é *preciso* perdoar — de que é *certo* perdoar. No entanto, em algumas situações o perdão pode não ser possível. Se, por exemplo, fomos gravemente abusados por um dos pais quando crianças, pode ser simplesmente impossível perdoá-lo(a), mas há uma possibilidade de resolução dentro de si mesmo, por tudo o que aconteceu a você. Essa é a resolução da sua própria dor, da sua própria raiva ou da sua própria tristeza pelo abuso. Seu papel é lidar com seus próprios sentimentos. Isso é o que vai curá-lo. Quando permitimos isso, a cura começa a acontecer dentro de nós e então podemos avançar na nossa cura com relação a esse pai/mãe, porque já não temos sentimentos tão intensos ligados a ele/ela. Não dependemos do que os nossos pais podem fazer, dependemos de nós mesmos e dos nossos sentimentos.

A chave aqui é que você deve se concentrar em seus próprios sentimentos, respeitar esses sentimentos e saber que você não tem que justificar o que sente. Quando começa a justificar os seus sentimentos (que é a mente do ego em ação), você nega a si mesmo e o que aconteceu a você. Ocorre uma libertação verdadeira quando você dá a si mesmo permissão para sentir. Quando sentir tudo isso, use a Respiração Consciente para que esse sentimento possa deixar o seu corpo e a verdadeira cura e resolução possam ocorrer.

Quando somos capazes de soltar esses sentimentos profundos, o coração passa por uma rápida transformação. Há uma nova sensação de liberdade e alegria. Quando reprimimos a dor, não conseguimos sentir alegria, porque estamos muito ocupados tentando conter os sentimentos de dor, tristeza e raiva. Quando ficamos presos na crença de que devemos perdoar, não podemos avançar e operar a cura dentro de nós mesmos. *Tentamos* perdoar, mas isso não nos leva a lugar nenhum, porque não começamos a trabalhar os nossos sentimentos. Estamos presos à mente do ego, que nos diz que deveríamos perdoar algo ou alguém.

Quando você foi ferido de algum modo, seus sentimentos estão feridos; isso é uma verdade. Quantas vezes você já disse para si mesmo: "Ah, isso não importa!"; mas isso importa, sim. Dentro de você é muito importante! É impossível sentir o verdadeiro perdão a não ser que você lide com os sentimentos profundos dentro de seu coração. A pressão para *perdoar* pode impedi-lo de avançar e se curar de forma verdadeira.

Com o perdão que dá a si próprio, você desenvolve amor, paciência e compaixão por si mesmo. Entre em contato com os seus sentimentos, e então, com amor e compaixão, perdoe a si mesmo. Você é "perfeitamente imperfeito", como ser humano que é; vai cometer erros. Parte de nosso aprendizado nesta vida é perdoar a nós mesmos. Gostaria de lembrá-lo das palavras de Jesus: "Quando você vai se tirar da cruz? Quando vai ressuscitar a si mesmo?" Ninguém mais pode fazer isso por você.

Desperdiçamos muito tempo nos ancorando na culpa. Quando a reconciliação consigo mesmo acontecer, então é possível que um verdadeiro perdão aconteça para a outra pessoa ou, no mínimo, a reconciliação consigo mesmo, que faz com que você não acumule mais energia com relação ao problema. É o que realmente importa: libertar-se do problema, de modo que possa haver uma liberação energética. A culpa está diretamente ligada à ilusão da terceira dimensão com respeito ao que você deveria ser e ao que deveria fazer. Quando você está imerso nessa culpa tridimensional, você é incapaz de se abrir e se conectar com o poder do Self e avançar rumo ao que precisa fazer e à direção que precisa seguir em sua vida. A culpa foi criada para controlar — controlar a humanidade para fazer o que ela supostamente deveria fazer, como ser uma "boa mãe" ou "fazer a coisa certa", seguir as regras da sociedade. Isso tudo é criado para levá-lo a se sujeitar e ser controlado.

O foco sobre o perdão está geralmente relacionado a outra pessoa, quando, na realidade, o primeiro foco deveria ser você e os seus sentimentos. Uma palavra muito mais precisa para esse processo é *reconciliação*. A reconciliação exige um trabalho interior significativo, de modo que possamos partir para uma jornada de autocura. Você pode chegar a um acordo com o que aconteceu a você, e sentir isso. Esse fato permite que você se liberte da bagagem emocional em torno de uma pessoa ou situação, e seja capaz de se curar profundamente no coração. Quando o coração cura, ele pode ser ressuscitado, e um novo nível de compaixão nascerá através de você.

Então, quando começa a viver através do coração compassivo, você é capaz de sentir essa compaixão pelos outros. Esse é outro exemplo da "Economia Divina", que existe no plano terrestre.

Você quer ser capaz de se libertar energeticamente dos problemas, de modo que eles não provoquem mais reações emocionais dentro de você. Às vezes o nosso trabalho interior com respeito a essas questões é o mais difícil. Nós, a partir do ego, nos julgamos muito severamente. É incrível quantas coisas temos contra nós mesmos. Algumas das coisas pelas quais nos condenamos podem nem fazer muito sentido: sentimentos de culpa, censura e as palavras: *Deve haver outra coisa que eu poderia ter feito; eu simplesmente sei disso!* Esse tipo de declaração não tem como base alguma realidade, mas vem da mente do ego e baseia-se no medo e na culpa.

Para sair desses ciclos, você deve começar apenas se dispondo a sentir, acolhendo o seu coração, apoiando a si mesmo, e fazendo uma Respiração Consciente, levando o ar diretamente para os sentimentos que estão presentes. Às vezes, quanto mais você se permite entrar em contato com o sentimento, mais ele cresce. Apenas se envolva com o sentimento e mantenha a Respiração Consciente, continuando disposto a ficar com os sentimentos que estão vindo à tona. Você não tem que justificar o sentimento; só deixe que ele fique ali. A cada respiração, apenas sinta. Leve o tempo que for preciso; seja paciente e amoroso consigo mesmo.

Às vezes, quando você está no meio desse processo, começa a sentir uma dor física em alguma região do corpo. É um problema emocional começando a sair do seu corpo físico. Os problemas emocionais que você não sentiu estão alojados nas células do seu corpo. Então, quando você se abre para esses sentimentos, a congestão emocional começa a se dissipar nas células, e durante esse processo de cura às vezes você pode sentir dor física. Lembre-se de que ela está deixando seu corpo.

Então vamos falar sobre como você trabalha a dor, enquanto ela deixa o corpo. Depois que você toma consciência de que alguma coisa está deixando seu corpo, você precisa concentrar toda a sua atenção no local onde está sentindo a dor física. Tudo o que o corpo está lhe dizendo com a dor é: sinta aqui, para que esse problema possa sair do seu corpo agora. Quando você leva a sua consciência para o local da dor, ela pode mudar: pode diminuir, ou pode aumentar. Mas, quando você se move em direção à dor e a sente, ela começar a sair do seu corpo. Envolva-se com a dor o mais completamente possível.

Um instrumento eficaz é conferir à dor uma cor ou uma forma. Quando você levar a sua consciência à cor ou à forma, inspire e expire pela boca. Permita-se quase se tornar a textura e a cor. Fique com o sentimento e saiba que nada vai surgir em seu corpo que você não esteja pronto para manejar. Não faça planos; disponha-se a ficar com o que está se apresentando.

As questões que estão no seu corpo sempre têm diferentes níveis e camadas, mas você chega ao final delas. Algumas dessas questões estão em camadas, para que possamos trabalhar apenas com o que estamos prontos para lidar. Quando elas vêm até nós, somos capazes de enfrentá-las.

Durante o processo, você pode sentir a necessidade de produzir um som. Deixe o som se mover através de você e levá-lo totalmente ao local da dor. Respire. Você pode se sentir como se o seu corpo precisasse se movimentar e se expressar com o movimento. Traga toda a sua consciência para o movimento e tome posse dessa parte do seu corpo. É como se o organismo estivesse voltando à vida e você estivesse recebendo de volta essa parte do seu corpo. Essa ação é você tomando de volta o seu poder dentro do seu corpo, soltando e começando a se abrir para a sua responsabilidade pela cura do seu corpo físico.

Traga o foco de volta para si mesmo e se comprometa a trabalhar por meio das lições que você tem que aprender com os problemas existentes atualmente em sua vida. Você vai começar a sentir um novo nível de clareza com relação ao que é verdadeiro e ao que é falso, em torno dessas questões.

Você será capaz de se abrir e assumir a responsabilidade pela sua participação em cada experiência da vida, entendendo que você desempenhou um papel em cada situação. Você não tem de assumir a responsabilidade pelo papel de mais ninguém, apenas pelo seu. Se você perceber que está focando o papel de outra pessoa, deixe ir, respire e volte a se focar em si mesmo. Abra-se para o seu sentimento nesse momento e sinta o que está acontecendo dentro de você.

A chave é fazer a si próprio as perguntas certas. As perguntas certas são poderosas. Não tenha medo de como as respostas possam ser: basta se abrir para a verdade nesse momento. A verdade é sempre uma porta para a liberdade. Depois que você sentir a verdade e aceitá-la plenamente, sem julgamentos, algo dentro de você poderá simplesmente sumir. Acolha-se com amor e compaixão. Você pode se dar ao luxo de ser compassivo consigo mesmo, e está autorizado a cometer erros; esse é um processo de aprendizagem. Solte e respire.

Algumas das perguntas podem ser:
Por que eu precisei atrair essa experiência para mim?
Qual é a minha participação nessa experiência?
O que eu tenho a aprender com essa experiência?
O que eu ganho ficando nessa situação?

Quando você não lida emocionalmente com algo, você recria uma experiência similar e, então, tem outra oportunidade de sentir isso e se curar. É assim que o Universo funciona. Ele continua a lhe trazer a dádiva da lição para que você tenha outra oportunidade de sentir e aprender.

Eu ouço as pessoas dizendo: "Isso continua acontecendo o tempo todo!", mas é claro que continua. Esse é o papel da Consciência Universal: dar a você a oportunidade de aprender o que veio aprender aqui. Depois que você aprende a lição, o ciclo é interrompido e você segue em frente. Continua a recriar o que precisa aprender até que esteja disposto a sentir e aprender a lição que propicia a sua cura. Quando você se cura, torna-se mais aberto e esclarecido sobre o que está acontecendo em sua vida e por quê. Você sai do papel de vítima e começa a desempenhar um papel consciente em sua vida.

A introspecção é um instrumento importante para manter você alinhado com o seu Self. É fundamental fazer uma análise diária sobre o que aconteceu, para avaliar as suas experiências e suas respostas ao longo do dia e refletir sobre suas reações. Isso ajuda você a se voltar para suas sensações e ter uma oportunidade de examinar os sentimentos e reações com calma. Dá a você tempo para se acolher com paciência, amor e compaixão — para compreender melhor suas vulnerabilidades e todas as suas diversas emoções.

Quando persiste na dor, você tem que fechar o coração. Você fecha o coração para não sentir a dor, mas também se fecha para sentir qualquer outra coisa, e isso lhe impede de sentir profundamente a felicidade e a alegria. É como se você vivesse numa zona neutra, sem nunca sentir nada profundamente, desconectado de si mesmo e dos outros.

O coração é um instrumento de recepção; foi concebido dessa maneira. Por meio do coração você recebe amor. Por meio do coração recebe sua abundância em muitos níveis aqui neste plano terrestre.

É preciso coragem para decidir sentir, mas, à medida que você se conectar cada vez mais com o seu coração e se abrir para sentir, vai experimentar a liberdade que vem com o sentimento no momento. É preciso prática para fazer as coisas de modo diferente. Torna-se cada vez mais fácil entrar em contato com os verdadeiros sentimentos e com o seu verdadeiro ser. Ao fazer isso, uma sensação de leveza e de libertação cresce no seu íntimo, à medida que você tem mais controle e responsabilidade em cada momento.

Você tem feito o melhor que pode até o momento. Perdoe-se pelos erros que cometeu e pelas decisões tomadas que não funcionaram do jeito que você esperava.

Essa vida que você criou passará a fazer sentido quando você realmente começar a entender o motivo das lições que a vida lhe reservou. Então poderá avançar conscientemente na direção do que precisa entender ou aprender no momento presente. É emocionante quando você começa a se experimentar de uma forma nova e poderosa. Ao aceitar a si mesmo, você toma posse da criação da sua própria vida a cada momento. Então pode começar a cocriar a sua vida de uma maneira nova.

As portas serão abertas; o Espírito estará com você! E o mais importante, você estará com você. Isso é estar vivo! Experimente a alegria e a abundância natural a que você tem direito, avançando cada vez mais para o fluxo da luz do Self. Recupere o seu poder, sua intuição, e seus dons naturais, que o levarão a viver sua Matriz

Divina para esta vida. Lembre-se de quem você é no seu Self ilimitado, e abra-se para a abundância e o amor que sempre estiveram aqui para você. Vivencie isso totalmente.

Quando você se abre para mais amor e compaixão por si mesmo, uma coisa incrível acontece: julgamentos que você fez de outras pessoas vão desaparecer, e surgirá um sentimento natural de amor e compaixão. Seu coração vai se expandir com esse amor, o amor por si mesmo e o amor pelos outros.

E quando o amor está presente, não há medo.

◇◇◇◇◇◇◇◇◇◇

Na sexta faixa gravada no site, você irá trabalhar o autoperdão e a transformação do seu coração. Abra-se para a limpeza energética do seu coração, permitindo que as energias do Espírito o ajudem. Só você pode dizer *sim* a esse processo por meio da Respiração Consciente. Essa é a sua jornada, e quero lembrá-lo de que a disposição para receber, transformar e perdoar a si mesmo é importante.

A respiração também é importante. Ela irá contribuir para a transformação das células em seu coração, abrindo-as como flores ao sol. A respiração diz duas coisas: "Sim, eu estou disposto a soltar" e "Sim, eu estou disposto a receber a minha luz".

Eu sustento o espaço para você se abrir e se dispor a receber o amor que está aqui para você dentro dos Reinos Energéticos. Estaremos transmitindo uma energética para ajudá-lo a acessar os bloqueios emocionais dentro do coração de modo que você seja capaz de acessar o sentimento mais completamente. Quando o coração se abre e renasce, você recebe outro nível de alinhamento do Self e pode dar mais um passo rumo à reivindicação do seu lugar no Todo Universal.

Capítulo 7

Jornada com os Pleiadianos, Dentro da Câmara do Portal das Estrelas

O processo a seguir tem lugar na câmara do Portal das Estrelas, e essa jornada criará uma aceleração emocionante no seu Self. A câmara do Portal das Estrelas é como um útero multidimensional criado energeticamente pelos Pleiadianos para que você possa passar para outro nível de Iniciação com a luz do seu próprio Self. Ela o levará a uma Iniciação muito mais profunda do que a que você teve até o momento. Dentro dessa câmara você terá acesso a níveis mais elevados de espaços dimensionais. Através da sua experiência com essa compreensão e lembrança, você será capaz de assumir o seu lugar mais completamente, com mais confiança do seu lugar dentro desses espaços. Ela vai abri-lo para uma oportunidade de nascer para outro nível de consciência, de modo que você comece a se lembrar de quem é em sua singularidade. Você está pronto para isso.

Dentro dessa Iniciação, você vai avançar para um novo nível de relacionamento com as energias dos Pleiadianos. É o momento de você se abrir para uma experiência direta com eles. Isso pode ser feito facilmente dentro das energias da câmara do Portal das Estrelas, porque, ao se alinhar com esses Reinos dimensionais superiores, você se expande energeticamente e pode encontrar os Pleiadianos em um novo nível, o que permite o início de uma comunicação clara entre os Pleiadianos e você. Toda a comunicação é feita através da transferência de pensamentos. Essas energias dos pensamentos transferem-se sem esforço dentro da câmara do Portal das Estrelas, porque existe uma forma de luz pura dentro da câmara. A força da luz pura ativa novas áreas de seu cérebro para que ocorra a comunicação telepática.

Essa força da luz pura dentro da câmara do Portal das Estrelas tem uma alta frequência de amor e a energia inicia-se nas células do seu corpo. É esse elemento de amor que o conecta ao seu lugar dentro da Matriz Universal. Os Pleiadianos podem encontrá-lo dentro dessa frequência de amor. Eles vibram com essa força do amor, e vão ajudá-lo a nascer nessa força vital pura e nessa frequência de amor. Suas células serão banhadas com essa força vital pura do amor, gerando um nascimento dentro de cada célula. Os Pleiadianos irão ajudá-lo no processo de integração, de modo que suas células possam passar por um ajuste rápido a partir dessa nova energia. Essa integração lhe permite uma capacidade ainda mais completa de se comunicar com eles, à medida que você se alinha com a qualidade dessa força amorosa da câmara do Portal das Estrelas. Você será capaz de travar um relacionamento mais profundo, mais pessoal com eles, pois sua expansão pessoal dentro da luz o leva mais fundo na Unidade, e os Pleiadianos são parte dessa Unidade.

Parte do papel dos Pleiadianos é manter essas plataformas dimensionais energéticas abertas para você e, quando eles as mantêm abertas, você é capaz de se mover e fluir para dentro desses espaços de Iniciação. As células do seu corpo serão energeticamente alinhadas com os níveis mais elevados da sua luz. Os Pleiadianos testemunharão enquanto você se move através dos seus diferentes níveis de Iniciação, e dá a luz a si mesmo. Eles vão continuar a manter a plataforma aberta para que você possa se alinhar com os espaços dimensionais expandidos da câmara do Portal das Estrelas. Eles não vão interferir nas suas Iniciações; o compromisso deles é acompanhá-lo e continuar a sustentar as plataformas energéticas para você, ajudando-o a ancorar as energias da quarta, quinta e sexta dimensão no nosso planeta.

Esse é um processo importante — a transformação de um planeta de terceira dimensão em um planeta de quarta, quinta e sexta dimensão. O trabalho que você vai fazer aqui nas jornadas do Portal das Estrelas contribuirá para a transformação de suas energias. Essa transformação interior é extremamente poderosa para o planeta inteiro, visto que você assume mais do seu lugar no Todo Universal. Suas novas energias poderão transmitir automaticamente uma frequência mais elevada através do planeta, associadas aos novos níveis de energia que precisam ser ancorados no plano da Terra neste momento.

O Portal das Estrelas é um espaço energético multidimensional, mas existe um lugar estável dentro desse Portal das Estrelas onde você pode realizar jornadas em muitos níveis diferentes e passar para níveis multidimensionais de Iniciação. Ele foi criado pelos Pleiadianos para iniciar você em sua luz num ritmo acelerado. Os

Pleiadianos trabalham diretamente com você dentro do Portal das Estrelas; você não pode fazer isso sozinho, porque precisa que os Pleiadianos abram o ponto de entrada para você. Três Pleiadianos irão sustentá-lo energeticamente para que você possa entrar na câmara do Portal das Estrelas, e o auxiliarão na sua abertura inicial para as vastas energias que podem ser acessadas dentro da câmara. Por causa da estabilidade que foi criada no Portal das Estrelas, você tem os meios para ir até lá com a ajuda dos Pleiadianos. Eles o ajudarão a aprender a trabalhar dentro dos espaços energéticos multidimensionais, e a entrar em contato com os diferentes aspectos do seu Self multidimensional. Uma parte importante dessas jornadas é reconectar-se a esses aspectos do seu Self multidimensional e acessar os instrumentos energéticos para que você possa utilizá-los agora nesta vida. Os Pleiadianos irão ajudá-lo nessas reconexões, quando você estiver pronto.

Você vai aprender a navegar através desses espaços multidimensionais e, a cada jornada, se abrir para a Verdade e o amor que existem ali. A cada experiência você vai se ancorar mais a essa realidade e será capaz de acessar essa verdade amorosa em sua vida diária aqui neste plano terreno.

Você será sempre amparado pelos Pleiadianos nos processos do Portal das Estrelas, e eles irão monitorá-lo energeticamente, certificando-se que você é capaz de integrar as energias para as quais e nas quais você está se abrindo. Irão garantir que você não se exceda dentro desses níveis energéticos. À medida que avançar e se expandir mais profundamente dentro das muitas aberturas dimensionais do Portal das Estrelas, você descobrirá um novo nível de alinhamento consigo mesmo, e um novo sentimento de tranquilidade e de paz fluindo através de sua consciência. Ao retornar dessas jornadas dimensionais, você trará consigo essas energias e, quando integrá-las no seu campo energético e nas células do seu corpo, elas automaticamente se transferirão para o seu dia a dia e o influenciarão.

Existem aspectos do seu Self que florescem dentro dessas energias dimensionais, e as energias que você encontrar nessas jornadas irão desenvolver dentro de você uma capacidade de autocura no nível físico, emocional e espiritual.

É importante que você beba bastante água para hidratar as células antes da jornada. A vibração das suas células aumenta quando você se abre para essas experiências com a luz expandida, provocando uma aceleração no interior da estrutura celular que cria uma fricção dentro da célula, de modo que o calor começa a aumentar com essa vibração mais elevada da luz. A ingestão de água ajuda as células a integrar com mais facilidade o novo nível de luz para o qual você vai ser aberto, quando começar a se iniciar dentro desses espaços dimensionais. Essa hidratação também o ajuda a captar mais facilmente suas energias expandidas da luz e fluir energeticamente com esses espaços dimensionais.

Além disso, beber bastante água depois da sua experiência no Portal das Estrelas, após ter concluído a sua jornada, ajuda seu corpo a integrar e a ajustar plenamente a energia transformadora que foi ativada através do seu sistema. Lembre-se de que essa energia na qual você se iniciou é a sua própria luz: a energia da luz expandida do Self que se irradiou nas suas células. Essa luz irá afetar diretamente sua capacidade de se sentir mais ancorado e centrado em seu Self; ela o levará a uma consciência mais profunda de sua conexão com a força vital que existe dentro do seu mundo e do seu lugar dentro dele. Sua consciência dos Pleiadianos e de suas Energias Espirituais aumentarão no seu dia a dia aqui no planeta, e você será capaz de aproveitar a ajuda deles, à medida que der novos passos na sua vida.

Existem muitos outros Seres e Mestres de Luz com os quais você pode trabalhar pessoalmente. A energia do Portal das Estrelas é um aspecto da Unidade, e os Pleiadianos trabalham em conjunto com todas as formas de luz dentro desse espaço. A Unidade é tudo o que existe, e todas as formas de luz energéticas trabalham em conjunto, no elevado nível de luz e de extraordinário amor que existem no interior dos espaços dimensionais do Portal das Estrelas. Você vai ser iniciado para ser uma parte mais consciente dessa Unidade — para assumir o seu lugar estando mais conscientemente alinhado com os Reinos Espirituais enquanto empreende sua jornada aqui.

Você vai receber uma equipe de energias pleiadianas, que vão trabalhar com você em seus processos de Iniciação, à medida que você faz a sua jornada com a sétima faixa do site. O compromisso deles é trabalhar com você dentro da câmara do Portal das Estrelas e em qualquer momento que você pedir ajuda.

A esperança dos Pleiadianos é que você trave um relacionamento com eles — uma aliança para que possam continuar a ajudá-lo a se desenvolver em muitos diferentes níveis de Iniciação, fora da câmara do Portal das Estrelas. Durante cada jornada que você realizar eles sustentarão os espaços energéticos para você e o auxiliarão em suas Iniciações em curso, ajudando-o a integrar as energias de cada jornada específica. Eles estão dispostos a ficar com você, como uma equipe, e estão empenhados em ajudá-lo, enquanto faz o seu trabalho no mundo, se essa for a sua vontade.

Antes de iniciar sua jornada, você está sendo solicitado a se abrir para um estado de receptividade. Você precisa fazer isso conscientemente, assumindo a responsabilidade e dizendo: "Sim, eu me abro para receber essa Iniciação". Reivindique o seu Self, o seu direito nato de receber e o seu poder. Abra-se no seu coração, para que você respire em seu coração e suas células se abram para receber plenamente o seu Self.

Você está sendo convidado a abandonar tudo o que está aqui no espaço tridimensional durante essa jornada de Iniciação, e a se dispor a se desenvolver. Deixe-se abrir para o que existe para você nessa jornada. É o momento de fazer isso: reivindicar o seu lugar e permitir que o espaço do Portal das Estrelas o leve a um novo estado do seu Self. É hora de nascer para um novo aspecto de *você* — de abrir-se para um novo aspecto dimensional de si mesmo, reivindicando-se.

Essa jornada começa na mesma Formação, conforme foi descrito no Capítulo 3. No entanto, você não vai trabalhar com mais ninguém nessa Formação. Uma equipe de energias pleiadianas ocupará três lugares na Formação. O quarto lugar na Formação será o seu. Eles o sustentarão energeticamente enquanto você fizer essa jornada para as dimensões do Portal das Estrelas e criarão espaços energéticos específicos que permitirão que você entre nos Reinos do Portal das Estrelas.

Você vai começar ativando a Base da mesma maneira que fez no Capítulo 3. Depois que a Base é ativada, você será levado pelas três energias pleiadianas a uma câmara energética do Portal das Estrelas.

O Portal das Estrelas existe em um espaço dimensional muito diferente daquele da Formação. Ele sustenta um nível muito maior de luz energética e está ligado ao Circuito Universal. Dentro do Portal das Estrelas está a câmara do Portal das Estrelas, um lugar cheio de luz. Esse é o lugar onde as suas Iniciações ocorrerão. Trata-se de um local de energia estável onde você será capaz de integrar facilmente a energia nascente de um novo aspecto dimensional do seu ser.

Depois que as Iniciações estiverem completas, as energias pleiadianas o levarão de volta para a Base da Formação, onde você irá integrar os novos aspectos do seu ser dentro das células do coração. Eu também estarei com você energeticamente quando você fizer essa jornada. O Espírito estará com você. Nós todos estaremos testemunhando o seu processo, e celebrando com você esse nascimento!

◇◇◇◇◇◇◇◇◇◇

Quero abri-lo para as novas energias dessa Iniciação que ocorrerá nessa sétima faixa do site. Tenha uma grande jornada!

Capítulo 8

Manifestando-se por meio do Coração Sagrado

É hora de você começar a se abrir para as suas capacidades de manifestação. A manifestação é uma parte natural da sua capacidade divina a desenvolver nesta vida, neste plano terrestre. Você esqueceu quem você é e o que é capaz de fazer. A capacidade de se *manifestar* é algo de que você se esqueceu, algo de que precisa *se lembrar*. A capacidade de manifestação é um dom natural que você tem e sempre teve. Esse processo de recordação não consiste em aprender algo novo, mas é um despertar de si mesmo e a retomada do seu poder, um movimento para mais perto de si mesmo e a abertura para essa capacidade de manifestação.

A manifestação envolve recuperar a responsabilidade de cocriar a sua vida e de receber a sua criação. É uma compreensão de que você merece ter abundância em sua vida como uma parte do seu direito natural, de modo que possa se abrir agora para receber a vida que você quer criar para si mesmo.

Não ter o suficiente é uma das maiores ilusões do plano tridimensional. Sua crença na falta o mantém na impotência. Você tem desempenhado esse papel de vítima há muitas vidas. Agora é hora de acordar e reivindicar o seu direito de se manifestar agora.

Quando falo em abundância em todos os níveis eu me refiro a:

- *Abundância financeira:* você tem direito a toda a abundância financeira que deseja. Saiba que a sua abundância não tem nada a ver com a abundância natural de qualquer outra pessoa; você não pode tomar excessivamente para si. Sua abundância é ilimitada; cada um decide quando está pronto para receber essa abundância.
- *Saúde física:* sua saúde física desempenha um papel importante na qualidade de vida que você pode levar. Parte do processo de manifestação é possuir células saudáveis, de modo que você possa ser fisicamente vigoroso, e suas células podem e vão vibrar com um novo alinhamento com a luz do Self, e ser uma parte do pulsar universal ou do batimento cardíaco universal. Quando esse novo alinhamento começar a ocorrer, haverá uma nova sensação de bem-estar dentro do seu corpo.
- *Abundância emocional de amor:* criar abundância de amor em sua vida, para poder receber o amor e o apoio do Universo, bem como abrir-se para relacionamentos amorosos com outras pessoas — relacionamentos com as pessoas que são equilibradas com respeito, e ancoradas em profundas conexões com o coração. Parte do processo de manifestação consiste em levá-lo a um alinhamento com essas energias,

de modo que você possa começar a atrair para si essas conexões profundas do coração.

Toda manifestação é feita por meio de uma conexão com o seu Coração Sagrado. Você passou por muitos processos para purificar o coração, para alinhar o coração, e começar a viver conscientemente através do coração. Agora você está pronto para se tornar uma consciência cocriadora do seu mundo. É um enorme passo, e lhe traz liberdade.

Por meio do seu Coração Sagrado, você vai se conectar com a paixão e o desejo do seu coração. É importante que, à medida que você se abrir para o que quer criar em sua vida, você também se abra para receber a energia viva da sua criação. Você deve receber essa "energia viva da sua criação" através do seu Coração Sagrado. Por "energia viva da sua criação" quero dizer que o que você quer criar, o que você deseja para si mesmo, seja o que for, tem um padrão energético. É uma energia viva. Então, quando souber qual será a sua criação, você vai perceber esse padrão energético. Você pode sentir essa energia, ver essa energia, ou perceber essa energia. Não importa como ela se apresenta a você. Todas as coisas que são criadas começam com essa energia viva. Uma vez que for estabelecida, ela pode ser ancorada no plano terrestre. O *seu* processo de manifestação ativa essa energia. Quando você projeta o que você quer para si mesmo, uma matriz energética é formada dentro do Universo. E quando você traz a sua consciência para essa matriz e para o seu Coração Sagrado, ela é ativada — torna-se uma energia viva. Então passa a ser possível ancorá-la em uma forma física em sua vida.

É preciso coragem para se abrir a essa energia, porque a sua ativação conecta-se à paixão do seu coração. Ela é viva, e você vai ter que responder a essa energia com o coração, quando ela for criada.

É como se o coração começasse a ficar excitado quando você começa a viver com essa nova energia de ativação da sua paixão. O coração na verdade se expande com a energia da sua criação, e há uma nova parte da sua força vital que se move através das células do coração. Essa energia é a luz do Self. O coração vai passar por uma rápida transformação, e haverá uma aceleração em todo o corpo quando a manifestação começar a ser ativada.

Esses são os passos que você precisa dar para iniciar esse processo:

1. O passo mais importante é olhar atentamente, em detalhe, a vida que você está vivendo agora. Essa é a vida que você criou para si mesmo até este ponto.
2. Você precisa tomar posse da sua criação. Isso significa que você precisa assumir a responsabilidade por ela. Até que esteja disposto a assumir a responsabilidade pelas criações do passado, você não será capaz de começar a manifestar uma nova matriz para o futuro. É essencial que você tome posse do que criou e de cada parte dessa criação.
3. Comece a participar ativamente da sua vida, revendo o que você criou para si mesmo momento a momento. A clareza a respeito da razão por que criou algumas situações vem da ligação com o Self através do coração, sabendo que você precisava de cada experiência, e que cada experiência o trouxe até este momento. Você precisa ficar aberto para todos os papéis que desempenhou na sua criação e para as lições que a sua criação lhe trouxe.
4. Então você precisa agradecer a si mesmo pelo ensinamento que recebeu e pelas lições que aprendeu. Agradeça pelo que você criou e reconheça que precisava dessas experiências.

5. Você precisa dedicar algum tempo a essa sua criação, encarando-se com compaixão, amor e paciência, enquanto faz um exame completo do que tem vivido e do que criou para si mesmo até esse ponto. Esse é um passo muito poderoso, e é importante não apressar o processo. Algumas dessas criações podem ser dolorosas, mas não se afaste da dor; apenas respire e permita-se visitar cada momento. Cada parte, em cada momento, precisa ser sustentada de uma maneira muito sagrada. Sinta-se, sinta a jornada, e respire.

Depois de ter revisto a sua vida, segure seu Coração Sagrado com a mão e permita-se abrir para o desejo do seu coração para a sua vida agora. Sinta as áreas da sua vida que precisam mudar — as áreas que você criou para si mesmo que não lhe servem mais. *Você pode fazer as mudanças agora.* Saiba que você não precisa fazer isso sozinho. Você está no fluxo de luz do Self através do Coração Sagrado. Pode deixar ir, e permitir que esse aspecto do Self o auxilie na abertura dessas oportunidades e novas experiências para as quais você está pronto agora.

Desta vez, no processo, você precisa prestar atenção especial na parte de si que você acha que não merece mais. Essa parte da mente do ego precisa entender que você fez o melhor que pôde na vida que viveu até este ponto. Erros foram cometidos, e os erros são uma parte natural de qualquer processo de aprendizagem.

Os erros são inevitáveis em nossa vida, cometidos pelo simples fato de sermos humanos. Eles não são cometidos com a intenção de causar danos a outra pessoa, são apenas ações que criam algo, uma ondulação que se espalha para o mundo. Essas ondulações são projetadas para se mover para fora, promovendo experiências para outras pessoas, para que elas possam ter as suas experiências humanas.

Solte a culpa e a vergonha, as autoacusações por não ser perfeito, e os erros cometidos. Volte-se para si mesmo com amor, apoiando-se com compaixão. Abra-se e disponha-se a se voltar para si mesmo num ato de perdão. Deixe ir essa ilusão de perfeição, e comece a amar esse aspecto da sua personalidade humana. Volte-se novamente para si mesmo num acolhimento amoroso e repita as palavras *Eu Sou*.

É importante estar consciente das ilusões da realidade tridimensional enquanto você as vive, dando um passo para trás e vendo como essas ilusões ocorrem no seu mundo, como se estivesse assistindo a uma peça de teatro, desempenhando o seu papel. Seja grato por estar aqui neste momento e por estar consciente das ilusões aqui neste planeta.

Enquanto se compromete a sentir e curar as feridas emocionais que sofreu por ser humano aqui neste plano terrestre, abra-se para as profundezas do seu sentimento e o respeite. O sentimento pode, então, deixar o corpo e podemos nos libertar em outro nível. Esteja disposto a compreender a verdade sobre suas jornadas, e a verdade sobre a sua vida: que você veio para ter experiências, mas não para se prender aos problemas. Você veio só para vivenciar a experiência enquanto ela acontecia. Não para segurar a dor, a culpa, e a condenação; só para passar pela experiência, senti-la e deixá-la ir.

Respire, para dizer *sim* à liberação de sua história, e de todos os papéis que desempenhou ao longo das histórias e que compuseram a sua vida.

Você tem o direito de seguir em frente e permitir mais para si mesmo agora. Você tem o direito de receber. É seu direito divino receber.

É hora de seguir em frente!

É hora de ativar uma matriz para si mesmo e manifestar o que você deseja para si mesmo nesta vida. Qual é o desejo do seu coração?

Abra seu coração conscientemente e respire. Deixe a mente do ego enquanto se conecta com seu Coração Sagrado. Leve a mão até o coração físico, e depois concentre toda a consciência na sua mão, sinta a pressão da mão e respire. Feche os olhos e apenas permita que toda a sua energia e consciência vão para o coração.

Mantenha os olhos fechados e apenas respire, permitindo que a energia construa através do Coração Sagrado, e que a energia da matriz ative através do coração e se expanda através das células. Ao permitir que a descrição mais detalhada do que você quer se manifeste para expandir e fluir através do coração, você vai sentir novos níveis de energia se acumulando em torno dessa manifestação. A manifestação começa a nascer através do coração e, em seguida, em seu mundo.

Não há limites para o tamanho de sua manifestação; deixe que a imagem completa se forme. Você pode sentir que essa manifestação tem vida própria, à medida que o coração começa a se expandir e a se conectar a essa matriz. A energia do Self se conecta diretamente ao coração. Esse acúmulo de energia é a ativação de sua manifestação do Self.

Não é importante saber como essa manifestação vai ocorrer. A luz do seu Self é o diretor, e a Consciência Universal ajudará na manifestação da sua matriz energética. Você não precisa saber os detalhes ou como vai proceder para manifestar o que quer. Depois de se abrir para o desejo do seu coração e começar a construir a matriz energética, você pode soltá-la e testemunhar a manifestação acontecendo.

Quando essa matriz começar a nascer neste plano terrestre, a sua força vital vai se expandir através das suas células, porque você estará vivendo apaixonadamente. Você sempre foi destinado a viver dessa maneira apaixonada. Com essa paixão em sua vida, você está realmente vivo. Reivindique sua abundância. Você não pode reivindicar excessivamente; não há limite na forma.

Você não precisa lutar na vida. Eu sei que é difícil acreditar, pois o que você vê ao seu redor é a luta. A luta é uma forte crença tridimensional presente neste planeta há muitas vidas. *A luta e o medo*, esse é um padrão de uma forte crença do ego, que tem sido muito ativo no plano terrestre, e é o seu ego que tem mantido você nesse padrão pela sua limitação.

O tempo para o ego dominar acabou para você. Você vai encontrar facilidade em sua vida ao se entregar e permitir-se avançar com o fluxo de abundância que vai se abrir na sua vida quando a ativação da sua matriz se manifestar em seu mundo.

"Como pode ser tão simples?", você se pergunta. Ao soltar e simplesmente permitir que o Self o conduza a cada momento. Você está sendo solicitado a se abrir e permitir que os milagres aconteçam na sua vida. Abrir-se para o deslumbramento de cada instante, e permitir-se receber a abundância. Você merece essa abundância; você é digno de receber tudo o que é seu por direito com facilidade e graça. Apenas solte, sabendo que você é perfeito do jeito que é neste momento.

Abra seu coração agora, acolha o seu coração e faça uma Respiração Consciente. Fique consciente da nossa presença, apoiando você com muito amor. Você tem muita coragem; você chegou bem longe. Nós o sustentamos neste momento com grande amor e respeito.

Cada um de nós tem a responsabilidade no plano terreno de se abrir e viver o seu aspecto divino. Cada um de nós é único, e essa unicidade é necessária aqui, *agora*! Trata-se de ser tudo que você é, e ter disposição e coragem para viver isso, permitindo que isso o leve aonde você precisa ir. Tenha a coragem de avançar e abrir-se para o que você precisa fazer em sua vida, vivendo a sua paixão, e seguindo o fluxo.

Quando você está no fluxo, as portas se abrem sem esforço.

Ao ativar o desejo do seu coração para que se manifeste, o coração pode se expandir mais e mais. O coração está ligado à alma. Tem a capacidade de levá-lo ao desejo da sua alma. Quanto mais você estiver preparado para viver através do seu coração e para ativar o seu potencial de manifestação, mais você vai experimentar a sua paixão e a sua verdadeira missão. Abra-se para o lugar a que você pertence no mundo. Atraia para você as pessoas de cujo apoio você precisa em sua jornada única — o que chamo de a sua "família da alma".

Isso reestruturará sua vida de forma positiva, trazendo mudanças onde é preciso que ocorram mudanças, e ampliando relacionamentos e coisas em sua vida que ressoem com a verdade de onde você precisa ir. Isso vai atender às suas necessidades — as necessidades do seu coração: as verdadeiras necessidades do seu Self. É você que se alimenta, com o alimento espiritual do Self.

As únicas coisas que vão desaparecer serão as pessoas e as coisas que realmente não servem para você e que não estão baseadas em uma autenticidade real em relação a você. Quando começa a viver a verdadeira vida para si mesmo, você automaticamente está presente no momento. O fato de estar no momento afasta você do estado de separação. Você não estará mais sozinho. Vai ficar muito mais presente para si mesmo e, então, automaticamente mais presente para as pessoas ao seu redor.

> **Para começar a formar o que você quer para a sua vida**
>
> 1. Ao respirar, mova o ar para dentro do corpo físico, para longe da sua cabeça, para as proximidades do seu coração físico. Formule o que você quer para sua vida, o que você quer que se manifeste em sua vida, e como você quer que a vida pareça. Seja específico.
> 2. Não se preocupe com os detalhes de como isso vai acontecer. Não tente pensar sobre o que vai fazer a seguir; isso não vai lhe dar as respostas certas. A mente não tem as respostas para levá-lo nessa jornada. Ela vai mantê-lo em um ciclo de mesmice e frustração. A conexão por meio do Coração Sagrado vai lhe dar as respostas de que precisa. Se a mente do ego estiver causando dúvidas, basta trazer a sua consciência para o coração e respirar. Você vai começar a sentir a verdade e a calma novamente.
> 3. Mantenha-se fisicamente conectado ao coração durante esse processo; segure o seu coração e faça uma Respiração Consciente, enquanto mapeia o que você vai manifestar.
> 4. Não se limite ao que você pode ter. Permita-se se abrir integralmente para a sua abundância.

Quando você começa a viver rumo à Totalidade e à Verdade, surge uma nova autenticidade — não a perfeição, mas o compromisso com a Verdade. Você se alinha com uma nova integridade em sua vida e passa por grandes mudanças. A ativação da matriz energética que você vai manifestar irá levá-lo a esses alinhamentos. É hora de você se abrir para esse estado pleno de receptividade. Tudo isso é seu; sempre esteve aqui esperando por você.

Seu mundo virá a conhecê-lo quando você se alinhar com o ritmo do Universo. Seu ritmo cardíaco vai começar a se alinhar com o pulsar universal. Você vai reconhecer a Verdade, não a sua verdade, mas a Verdade Universal.

Isso não significa que não haverá desafios ao longo do caminho, mas você vai fluir com esses desafios e não os enfrentará sozinho. Vai sentir uma força recém-descoberta e a compreensão da sua missão específica neste plano terrestre, seja ela qual for. Viver dessa maneira cria um enorme reequilíbrio no plano terrestre, e você estará fazendo a sua parte.

Quando trabalha com o desejo do coração, você automaticamente segue com o fluxo. É muito importante não forçar nada a entrar em ação. Quando for a direção certa e o momento certo, você vai perceber as coisas se encaixando sem esforço. Quando houver resistência, não force nem tente forçar um resultado. Basta soltar, sabendo que não é a hora ou simplesmente não é nessa direção que você precisa ir. Quando surgir uma oportunidade, quando a porta se abrir, avance. Se usar essa regra, você vai ficar no fluxo, e será levado aonde precisa ir para passar para a etapa seguinte. Você pode confiar.

Não se apegue ao modo como você vai chegar aonde quer ir, como se parecerá ou funcionará. Basta confiar! Deixe de lado a mente e permita que o coração o leve. A energia do Self orquestrará divinamente a sua nova vida, enquanto ela faz o seu trabalho, manifestando a sua matriz na sua vida.

A inspiração do Espírito está além do que a mente humana pode conhecer, reconhecer ou compreender, de modo que a *confiança* é um fator muito importante. É imperativo desenvolver confiança na nossa humanidade. Quanto mais você se dispuser a confiar, mais o Espírito pode avançar e ajudar no milagre da sua vida. Você não pode ouvir o Espírito num dia e não ouvir no dia seguinte. Você precisa seguir, de acordo com todas as orientações dadas, para que possa ser levado aonde precisa ir para atingir seu objetivo de manifestação. Não adianta pedir a ajuda do Espírito e, então, quando essa orientação for dada, seguir os passos que agradem a você, mas não seguir os outros. Dessa maneira você não vai chegar aonde quer ir. Você precisa seguir completamente ou não seguir de jeito algum. Você tem que confiar, ou não — essa é a sua escolha — momento a momento, passo a passo. Só você pode encontrar as respostas para si mesmo. Você tem a ajuda dos Reinos Espirituais — uma enorme ajuda — e um amor constante ao seu redor.

Cabe a você continuar a se abrir para esse amor por meio do seu coração, deixá-lo transformar você e curá-lo de muitas vidas de dor. Permita uma abundância ilimitada de suporte e amor em sua vida, e nas células do seu corpo. É tempo de você ter isso, e é seu direito natural ter isso. Você não tem que ganhar o direito a esse amor; você não precisa mudar nada em si mesmo para ter esse direito agora. Você é bom o bastante assim como é!

Você é bom o bastante!

Respire e leve essa Verdade para dentro de você. O amor que está presente para você a qualquer tempo é ilimitado. Tudo o que você tem que fazer é chegar e se abrir até acessar esse amor profundo. Lembre-se de que você só pode acessá-lo através do seu coração.

O ser humano tem dificuldade para aceitar a simplicidade dessa Verdade. Muitas vidas de condicionamento e autocrítica têm mantido você separado desse amor. Você basicamente não acredita que merece ser amado dessa maneira. Somente se conectando ao coração é que você vai ser capaz de saber o quão precioso você é; vai poder retornar à sua inocência e ser capaz de recuperar essa inocência e se sentir seguro o suficiente para se abrir para a sua vulnerabilidade e vivê-la.

Vulnerabilidade não significa que você é fraco. Ela leva você a um lugar de força e clareza que lhe permite estar perto do Espírito, e perto de seu próprio Coração Sagrado — da verdade e da lembrança de quem você realmente é. Ela liga você novamente às dádivas ilimitadas do Eu Divino, e permite que você comece a usar esses dons já nesta vida.

◇◇◇◇◇◇◇◇◇◇◇

Agora é o momento de ouvir a oitava faixa gravada no site, que é projetada para ativar o processo de manifestação por meio do Coração Sagrado. Prepare-se pensando em algo que você queira começar a manifestar em sua vida, antes de ouvir a faixa.

Estaremos com você nesta jornada para ajudá-lo e para testemunhar a sua Iniciação no Coração Sagrado, quando você ativar a sua matriz de manifestação. Vamos testemunhar você na ativação do desejo do seu coração, e dar suporte a essa energia e a você, enquanto ela ancora no plano terreno.

Saiba que, quando trabalha com essa matriz de manifestação, é possível fazer mudanças e ajustes a qualquer momento no que você está manifestando. Seja tão criativo em suas matrizes quanto precisar, e permita que a energia de criação flua através de você. Essa é uma matriz fluida, e é importante que você aprenda a fluir com ela. Você flui e se torna uma parte verdadeira dela. É como se não houvesse separação entre o que você está manifestando, o seu coração e você. Honre essa energia criativa e honre a si mesmo. Traga a sua singularidade para a matriz que você quer para si mesmo. Seja extravagante na sua matriz! Deixe o seu coração se expressar, não se segure nessa paixão. Dê a si mesmo. Em seguida, ative a sua energia apaixonada através do coração!

Por favor, ouça a faixa 8. Lembre-se de soltar e permitir que a sua criação completa mova-se através do seu coração. Estamos com você. Nós celebramos sua emancipação das limitações da terceira dimensão.

Capítulo 9

Expandindo a sua Iniciação até o Interior da Energia da Pirâmide Sagrada, Dentro da Formação

Eu quero agradecer-lhe por passar para este capítulo. Diante de você está outro aspecto das Iniciações da Formação. Essas Iniciações o levarão a níveis dimensionais mais profundos dentro das energias da Pirâmide Sagrada. Essas energias são poderosas e transformadoras.

É muito importante que você se concentre em ficar no momento enquanto empreende essa jornada pelos níveis dimensionais mais profundos da Pirâmide Sagrada. Lembre-se de que, quando se abre totalmente para o momento, você automaticamente sai da separação. Então, se você permanece no momento, isso significa que está totalmente alinhado com o *agora*, sem pensar no passado ou no presente, mas trazendo a sua consciência para a dádiva que está diante de você neste momento, permitindo-se receber plenamente as energias e experiências que estão diante de você. Então, será capaz de encontrar esses novos espaços expandidos de uma maneira pessoal e íntima. Há um caminho único aberto para cada um de vocês dentro dessas jornadas sagradas, de modo que você possa acessar o seu espaço pessoal, ficando presente em cada respiração e ativando os caminhos com a sua consciência enquanto eles se abrem para você. Como tem de dizer *sim* conscientemente a cada abertura original, você precisa estar presente para fazer isso. Você está assumindo o seu lugar mais uma vez: uma etapa mais consciente em direção a si próprio. Os Pleiadianos são responsáveis por criar essas aberturas, e você está pronto para essas aberturas personalizadas. É por meio da sua conexão com o Coração Sagrado que você vai se conectar com essas Iniciações e experiências específicas.

Você está sendo convidado a permanecer em um estado fluido, enquanto começa a sua jornada. Isso permitirá que você se abra para o fluxo no interior dos espaços que serão abertos dentro da Pirâmide Sagrada. Você será convidado a avançar e tomar o seu lugar dentro da Pirâmide Sagrada. Ao fazer isso conscientemente, ela permitirá que o seu lugar energético surja dentro desse espaço. Você vai encontrar o seu lugar único dentro dessa abertura. Agora cabe a você permitir a si mesmo se tornar uno com esse espaço.

Vamos falar sobre como você passa para esse estado de Unidade. O desejo é importante, assim como o seu ser consciente dentro do espaço e respirando, mas enquanto faz isso, solte tudo o que existe dentro de seu mundo tridimensional. Você precisa se entregar por alguns instantes para permitir que ocorra uma completa união entre você e esse espaço energético. Isso torna possível que você recupere as energias e integre-as às suas células.

O que você está permitindo ao fazer isso é uma aceitação de um aspecto multidimensional de si mesmo, reivindicando-se em outro nível e ancorando esse aspecto expandido do seu ser nas células do seu corpo. Isso vai permitir que você utilize essas energias na sua vida aqui no plano terrestre agora. Você será capaz de iniciar um fluxo mais profundo com o seu Self através do coração e de dar nascimento a si mesmo numa inspiração mais profunda do seu Coração Sagrado. Então não se esqueça de levar suas mãos ao peito e respirar de modo que você possa estar completamente bem no seu corpo e totalmente conectado ao coração, enquanto ele passa para outro nível de transformação.

Há muitas jornadas a se empreender aqui; cada uma delas abre para você uma jornada única diferente através do seu lugar dentro da Pirâmide Sagrada. Como você trabalha com as faixas gravadas mais de uma vez, cada jornada será diferente. Não procure pelas mesmas experiências. Cada jornada é criada exclusivamente para você, e cada jornada é importante pelo seu conteúdo diferente e pela sua multidimensionalidade. A mente do ego pode tentar recriar uma experiência da sua última jornada, mas você não pode deixar que isso aconteça. Leve sua consciência ao coração e fique no coração durante a sua jornada.

Quando se conectar à Pirâmide Sagrada, você vai começar a entender um novo nível de consciência da sua capacidade de criar dentro do Universo e de se levar a um novo nível com a energia vital que está dentro de você. O trabalho na Pirâmide Sagrada irá ajudá-lo a utilizar as suas próprias energias vitais, manifestando e trabalhando com o seu eu passional como um cocriador. Você reivindica aspectos de si mesmo e realinha-se com o seu poder pessoal. Quando você expande e desenvolve suas habilidades de ficar no momento, sua própria consciência o leva a novas experiências.

Como o *tempo* é uma das maiores ilusões da terceira dimensão, cada quadro de cada momento é ilimitado em sua capacidade de levá-lo a experiências mais e mais profundas. Esses espaços dimensionais são atemporais. Ao levar a sua consciência para uma experiência e respirar, você verá que suas experiências começam a se expandir, se alterar ou se aprofundar. Apenas se entregue à expansão, e permita-se fluir até a energia ou a experiência que está presente. Você faz isso levando sua atenção para a energia ou a experiência, soltando e respirando, levando o seu foco a se aprofundar no que está acontecendo. Não importa o quanto a sua experiência seja sutil. Você pode se abrir com a mesma facilidade para uma experiência sutil ou para uma experiência intensa.

Quando você entra em um espaço dimensional dentro da Pirâmide Sagrada, pode parecer que se passaram horas ou dias. E, no entanto, você volta dessa jornada só um pouquinho mais tarde, de acordo com o nosso tempo terrestre. Como não existe *tempo*, você pode ter uma experiência dentro da Pirâmide Sagrada e, então, em uma data posterior, levar a sua consciência de volta a esse momento e continuar a trabalhar com essa mesma experiência, expandindo-a em muitos outros níveis. Depois que você entrou num espaço dimensional, e iniciou e ancorou as energias em suas células, isso lhe permite voltar a entrar nesse espaço a qualquer momento. Este é um ponto importante a compreender: você pode revisitar qualquer experiência e permitir-se integrar plenamente todos os aspectos dessa sua experiência num nível mais profundo. Não importa há quanto tempo você teve a experiência, porque o tempo não existe verdadeiramente. Você sempre pode reutilizar essas conexões. Há uma grande vantagem em revisitar experiências poderosas, porque as experiências sempre têm novos níveis que você pode receber e nos quais será iniciado. À medida que estiver pronto para novos níveis, você pode receber as Iniciações mais profundas. Você não está sozinho quando revisita esses espaços dimensionais; as Forças Pleiadianas e Espirituais sempre estarão com você, apoiando-o em Iniciações expandidas.

A energia da Pirâmide Sagrada tem uma série de poderosos espaços dimensionais geométricos sagrados. Na verdade, eles são pontos de entrada para você ser iniciado. Para entrar nessas aberturas, basta levar a sua consciência até a experiência pela qual está passando e se entregar, permitindo-se seguir o fluxo do que está acontecendo. Você vai respirar e levar todo o seu foco para a experiência. Isso irá levá-lo à entrada e conectá-lo à sua experiência de Iniciação. Você tem um lugar dentro dessa Pirâmide Sagrada, e cabe a você encontrar e assumir o seu lugar dentro desse espaço.

Quando você entra nesse espaço e, conscientemente, toma o seu lugar, você vai se abrir para um espaço quase familiar. O seu lugar pode parecer poderoso e expandido quando você o assume. Você reúne um aspecto da sua energia e pode haver instrumentos sagrados disponíveis ali para você se reconectar. A energia desses instrumentos pode ser acessada agora, de modo que você possa utilizar o poder deles em sua vida. À medida que se transporta para esses aspectos poderosos do seu ser, você recebe uma transferência dessa energia para as células. Começará a se abrir para novos alinhamentos de si mesmo através dos diferentes níveis de Iniciação que estão disponíveis dentro desses espaços dimensionais definidos na Pirâmide. É importante que você ancore a energia que traz de volta de cada jornada, nas células do seu corpo. Para fazer isso basta levar as mãos ao peito e fazer uma Respiração Consciente através das células. Você precisa continuar a fazer isso até que possa sentir o movimento da respiração através de seu corpo. Essa energia que você traz de volta da jornada na Pirâmide é um aspecto do seu próprio Self iluminado. Cada uma dessas jornadas criará uma aceleração no seu despertar. Você vai ser realinhado de volta em seu Self. Cada jornada levará você para outro nível do Self, e vai trazer para o corpo físico outro nível de transformação e cura.

Cada vez que fizer uma jornada com cada faixa do site, você terá uma experiência muito diferente (porque você é diferente) e, cada vez que concluir a jornada, você levará outro nível da sua luz de volta para as células. Essas jornadas são oportunidades contínuas de nascimento disponibilizadas para você. É emocionante e maravilhoso!

Quando você está na energia da Pirâmide Sagrada é importante se abrir para cada momento e ficar aberto para a energia que está presente para você. É essencial manter a respiração fluindo, lenta e conscientemente. Basta colocar a mão no peito e sentir a respiração; *seja essa respiração*. Solte. Cada vez que se abre totalmente para o momento, você se abre e se ancora mais em si mesmo.

Lembre-se: a respiração diz *sim* ao momento — "Sim, estou disposto a me abrir para o estado pleno de receptividade". Você dá a sua permissão com esse *sim* na respiração — permissão para que as energias pleiadianas o ajudem a receber suas energias de Iniciação em suas células, momento a momento, a cada respiração. Os Pleiadianos estão monitorando-o energeticamente, de modo que você não absorva energia demais nos seus sistemas. Isso lhe permitirá se abrir e se expandir plenamente nessas energias de Iniciação, sabendo que você está sendo plenamente assistido e monitorado para que possa se abrir para a Iniciação completa.

Essa abertura consciente para cada momento leva você a um estado de unidade com todas as coisas, e o afasta da separação. Cada experiência individual de cada momento leva você a um novo nível e a um despertar para o alinhamento consigo mesmo e com o seu fluxo dentro da Consciência Universal. Na verdade, a experiência alinha você mais completamente com esse fluxo da Unidade.

Se você começar a trabalhar com esse processo inicialmente durante alguns minutos por dia, irá perceber que vai mergulhar nesse estado mais profundo de consciência naturalmente. Isso é retornar para o seu estado natural de Unidade, e é nesse estado de cada momento que você pode se realinhar com todos os seus dons naturais.

Esse processo de Iniciação, de abertura para o seu poder dentro da Pirâmide, vai permitir que você fique mais presente no seu dia a dia. Ele vai levá-lo a viver mais completamente as suas experiências, porque você vai se alinhar de forma mais natural com cada momento. Sua vida vai tomar uma forma mais brilhante. A consciência da sua conexão consigo mesmo vai se expandir, tudo parecerá mais rico e mais pleno de algum modo. Há tanto para você vivenciar aqui diariamente em cada experiência! Quando está realmente aberto para o momento, vivendo suas experiências, você encontrará um novo nível de força vital, com todas as coisas, e se alinhará com essa força vital.

A disposição para se abrir para o momento vai ser muito importante nestas próximas faixas. Nelas você vai se abrir para a Base da Formação, como no capítulo 3.

Haverá um padrão sagrado que lhe permitirá se abrir para dentro da Pirâmide. Saiba que esse padrão sagrado é exclusivamente seu. É um tipo de matriz energética que será ativada em todas as suas células, despertando-o para outro nível de si mesmo. Ela vai abrir novas energias dentro do seu corpo, de modo que será mais fácil reconhecer a sua missão aqui nesta vida.

Solte e permita-se vivenciar a si mesmo em outro nível tão completamente quanto possível, enquanto você trabalha dentro das energias dimensionais da Pirâmide. Abra-se ao suporte e ao amor do Universo enquanto se abre para a sua Iniciação aqui.

◇◇◇◇◇◇◇◇◇◇

Agora ouça a nona faixa gravada no site.
Tenha uma grande jornada.

Capítulo 10

Pertencendo ao Todo, à Unidade

Agora você está pronto para começar outro nível da sua jornada. Essa jornada lhe franqueará o acesso ao seu lugar dentro da Consciência Coletiva. Eu comparo a Consciência Coletiva a um enorme oceano, composto de bilhões e bilhões de gotas de água. Cada gota de água é um aspecto divino exclusivo do Todo, e você é uma gota dessa água. Dentro dessa gota há um aspecto divino exclusivo que faz de você parte de todo esse oceano — dentro dessa Consciência Coletiva.

É hora de você dar outro passo à frente e passar para outro alinhamento com o seu Self. Trata-se de reivindicar o seu lugar — afirmar a sua singularidade com uma ação consciente. Trata-se de tomar o seu poder de volta, fazendo a declaração *Eu Sou*. Isso faz parte da Profecia de Autocura: ter de volta seu poder de forma consciente, assumindo o seu lugar neste momento, realinhando-se com o seu aspecto divino dentro do seu lugar no Circuito Universal, que é, em essência, a Consciência Coletiva. Ao começar a assumir um papel mais consciente da existência do seu lugar, você se torna capaz de ancorar esse alinhamento energeticamente através de suas células. Você é, então, capaz de conviver com esses novos alinhamentos, trazendo você para um aspecto mais consciente do seu Self, enquanto vive aqui neste plano terrestre.

Ao voltar para o alinhamento do seu lugar dentro do Circuito Universal, você começa a se lembrar de aspectos do seu papel neste mundo, e o que você veio alcançar aqui. Esse Circuito é, na verdade, como uma roda imensa de luz onde cada um de nós tem o seu lugar dentro do Universo, e parte da nossa jornada é nos reconectar ao nosso lugar no Circuito Universal. Quando você se realinhar, o seu lugar na roda, o seu lugar no Circuito, começa a ativar e pulsar com a luz. Essa luz, em seguida, começa a ativar a sua assinatura única rumo ao Universo.

Quando você se alinha novamente com o seu lugar no Circuito, pode começar a emitir um brilho que é exclusivamente seu. Você é capaz de trabalhar conscientemente e canalizar essa energia do Self através de seu corpo físico neste plano terrestre. Isso o ajudará a viver com uma compreensão do que você veio fazer aqui nesta vida, e lhe dará os instrumentos de que você precisa para completar sua jornada. Esse alinhamento também o ajuda a se conectar conscientemente e a utilizar a ajuda dos Reinos Espirituais e energéticos, de modo que você seja capaz de trabalhar como parte de uma equipe energética.

Sua conexão com o seu lugar no Circuito é um processo gradativo de despertar para o seu Self. Saiba que existem alinhamentos em curso que continuarão a ocorrer no Circuito Universal, quando você estiver pronto energeticamente para receber mais aspectos do seu Self.

Seu lugar aguarda que você se conecte em um nível *consciente*. Isso significa que você precisa começar a ter consciência do seu alinhamento e do seu lugar dentro do Circuito Universal. Então você pode começar a mover sua energia — sua percepção consciente — para fora. Quando você começar a se abrir para o seu lugar único no Circuito, você vai se lembrar de aspectos de si mesmo. Você, então, será capaz de adquirir um conhecimento mais profundo e um senso de si mesmo num nível humano, sintonizando-se novamente com a sua natureza espiritual.

Uma compaixão e um amor naturais por si mesmo se abrirão quando você começar a ter consciência desses dois aspectos de si mesmo e, o mais importante, você vai sentir a sua humanidade e se compreender no aspecto de ser humano no plano terreno, neste momento, e apreciar a coragem que foi necessária para você estar aqui, pois você não vai mais se condenar pela sua vida, mas ser capaz de apreciar a jornada que empreendeu até este momento. Esse movimento consciente para ativar seu lugar no Circuito é uma grande parte de seu despertar. Quando se alinhar conscientemente com o seu lugar no Circuito, você vai se conectar a um novo nível de intuição, porque vai estar se alinhando com esse aspecto maior do Self, que é parte da Consciência Coletiva. Todo conhecimento é acessado por meio desse espaço e está acessível a você nesse espaço.

A mente do ego tem uma enorme resistência com relação à Consciência Coletiva, mas, se você foca a atenção no seu coração, pode sentir a verdade disso. Mantenha-se em seu coração durante esse processo; mantenha a mão no seu coração divino e respire. Deixe que isso aconteça para você agora!

Pertencendo ao Todo, à Unidade

Você já se manteve pequeno por tempo demais, acreditando que era algo bastante limitado, e por isso todas as suas capacidades naturais se fecharam. Isso ligou você *à ilusão tridimensional da falta, da luta e da impotência*. A mente do ego nos mantém fortemente na ilusão da terceira dimensão, por isso é essencial mudar esse hábito de se agarrar à mente.

Quando falo de capacidades naturais, lembre-se de que falo da nossa capacidade de criar, da nossa capacidade de autocura, do nosso direito de ter abundância ilimitada em todos os níveis, e da nossa energia ilimitada que podemos extrair de dentro de nós mesmos, e da capacidade de nos conectarmos ao aspecto multidimensional do Self.

O Universo comemora quando você assume o seu lugar, porque a sua energia é necessária para uma verdadeira união — para o quebra-cabeça ficar completo. A ativação do seu lugar dentro do Circuito faz diferença!

Quando você assume conscientemente o seu lugar no Circuito Universal, as células do seu corpo começam a passar por uma transformação com a conexão a esse novo aspecto de luz. Cada célula do seu corpo tem um transmissor, e o processo de aceleração ativa esse transmissor em cada célula, de modo que você começa a atrair para si diferentes experiências energéticas neste mundo e em sua vida. Como a sua nova vibração atrai níveis mais elevados de experiência energética, eles vêm na forma de novos níveis de abundância ocorrendo em seu mundo.

Esse transmissor dentro da célula ficou em estado dormente até agora. O transmissor começa a vibrar quando você se abre para um nível consciente do seu lugar no Circuito e começa a ajudá-lo a se ancorar mais completamente dentro desse lugar. Esse é um passo emocionante e monumental para você. Significa que você está acessando outro nível do seu poder. Ele leva você a um alinhamento com a Verdade e o Conhecimento dentro do Universo, e lhe permite ancorá-los na sua vida em novos níveis. É como se você estivesse conectado agora com um cabo mais forte, e finalmente seja capaz de ter uma visão mais clara e maior compreensão da sua vida. Isso permite que você viva de um modo muito diferente no mundo.

A compreensão e a visão clara da sua conexão com o Circuito Universal permitem que você viva e fique no mundo e, ao mesmo tempo, se conecte com o mundo espiritual e a Consciência Coletiva. Você será sustentado num acolhimento amoroso, enquanto viver, e será capaz de seguir em unidade com todos os seres vivos deste planeta. Esse apoio vai sustentá-lo enquanto você ancora o amor aqui na Terra, e esse alinhamento o ajudará muito em sua jornada aqui nesta vida.

Sem essa ativação *consciente*, suas células não podem ativar o transmissor para o Self. Você tem livre-arbítrio neste plano terrestre: precisa escolher o momento em que deseja iniciar esse nível de despertar. Nós não podemos interferir, não queremos interferir. Esse despertar foi possível neste momento por causa da Profecia de Autocura ativada em janeiro de 2009. Mantemos o espaço para você se desenvolver e despertar agora.

Só é preciso que você se abra para a possibilidade de que o seu lugar de fato existe dentro da Consciência Universal — que você tem um lugar. Ele deve ser ativado através do seu coração. Quando se abre para essa possibilidade, você eleva sua consciência em direção ao seu lugar e respira, afirmando o seu lugar. Ao fazer isso, haverá uma ativação dos transmissores em suas células, e eles vão dar início a esse alinhamento com a Consciência Universal. Você pode fazer isso. Você não tem nada a perder e tudo a ganhar. Tome posse do seu poder, tome o seu Self de volta. Reivindique-se.

Você já está conectado ao seu lugar original em algum nível, mas agora é hora de começar um alinhamento mais completo com esse lugar do Self. Será um processo passo a passo que o levará a um lugar cada vez mais profundo dentro de você. À medida que você avança e dá esse passo à frente, a energia dentro de suas células começará a pulsar e a se expandir. Isso é luz — *a sua luz*. A conexão dessa luz dentro das células traz um despertar para você: um despertar com relação a uma Verdade Universal, e uma visão mais clara dentro de você sobre essa Verdade.

Você vai começar a receber orientações claras e precisas. Você adquirirá uma compreensão de si mesmo, da jornada da sua vida até este ponto e da importância de tudo o que você experimentou em sua jornada.

Quando se liga ao conhecimento ilimitado que existe dentro da Consciência Universal, você dá início a um despertar acelerado que o conecta a um novo nível de criatividade dentro de si — a criatividade divina, que está ligada ao elemento de amor em toda a força vital. Você será exclusivamente você, fluindo como parte do amor que existe dentro do Oceano de Luz da Consciência Coletiva.

Ao entrar nesse oceano de consciência, você vai se tornar ainda mais definido dentro da assinatura única da sua natureza divina. Não haverá a sensação de que está perdendo o seu Self dentro desse Oceano de Luz. Pelo contrário, você experimentará um aspecto mais completo de si mesmo. Haverá uma nova clareza, que lhe dará uma experiência muito mais definida de quem você é e um senso mais profundo do seu lugar neste planeta.

No plano terrestre você vai florescer quando assumir o seu lugar dentro da Consciência Universal, sustentando muitas energias e capacidades únicas a partir das quais você se desenvolverá. Você vai se tornar um farol de luz do mundo, transmitindo a sua assinatura única de luz!

◇◇◇◇◇◇◇◇◇◇

A faixa 10 gravada no site foi concebida para levá-lo a uma jornada ilimitada a fim de ancorá-lo dentro do seu lugar na Consciência Universal, no Oceano de Luz. Toda vez que você ouvir essa faixa, os transmissores nas células do seu corpo vão se alinhar cada vez mais com o seu lugar único dentro da Consciência Universal. Assuma o seu lugar. Escolha agora o momento para ativar o despertar nesse nível. Eu estarei com você energeticamente; os Pleiadianos estarão com você, se você chamá-los. Meu amor está com você, enquanto você empreende esta jornada!

Capítulo 11

Cura Física por meio das Células

Agora é a hora de você se abrir para a sua capacidade natural de se curar: o processo de autocura do seu próprio corpo físico. Esse processo tem muitas fases e aspectos. Esses aspectos não são difíceis, mas cada passo do processo precisa ser explorado e vivenciado, e cada passo que você dá é muito importante. Você descobrirá que cada um deles irá levá-lo a curar uma parte de si mesmo.

Ao iniciar esse processo de autocura, você começará a se abrir para uma relação muito diferente com o seu corpo físico. Você começa a levar a sua consciência e conexão para cada célula. A percepção *consciente* das suas células é essencial para toda a autocura física.

Quando você leva a sua consciência até as células, elas começam a se abrir para uma conexão energética diferente para você e uma relação diferente com você. Começam a fluir com um novo ritmo e uma nova força vital — quase uma nova pulsação. Na verdade, elas começam a se alinhar com um fluxo energético ou ritmo que as conecta com o Eu Superior, e uma pulsação começa a ser ativada, conectando-as diretamente à pulsação Universal. Esse novo fluxo de força vital dentro da célula, na verdade, começa a criar um processo de cura dentro de todas as células do corpo, de modo que a energia densa ligada à doença se transforma e o corpo se cura. Esse processo permite que os órgãos do corpo se regenerem com a nova força vital.

A membrana sobre o revestimento exterior da célula é aberta do ponto de vista energético e expandida. A membrana da célula então é capaz de atuar como um receptor para essa conexão de luz. Os espaços entre as células podem, em seguida, expandir-se com essa nova luz, de modo que haja uma fluidez dentro e ao redor da célula.

As células do seu corpo são incrivelmente regenerativas, e respondem rapidamente à sua conexão *consciente* com elas. Quando você se abre conscientemente para as células, elas podem começar essa jornada de cura física — essa jornada de transformação. Lembre-se: este é o seu corpo, estas são as suas células. É importante que você reivindique conscientemente a posse das células do seu corpo, para que assim possa se comunicar com elas. Reconhecer as suas células é o primeiro passo da comunicação. Por meio dessa interação você reconhece o seu Self num outro nível. *Você é as suas células*, e quando cada célula começa a despertar, você começa a despertar também. Você vai sentir uma enorme diferença em seu corpo físico. Seu corpo rapidamente vai se sentir mais vivo. Existem novos níveis de luz abrindo-se através das células, que é o começo de uma energia de mudança.

Você está sendo apresentado a um novo aspecto energético das células do seu corpo, o que dá a você uma nova consciência de como as suas células podem se relacionar com você e como você pode se relacionar com elas. Essa nova compreensão lhe dará uma clareza importante, permitindo que você trabalhe intimamente num alinhamento com as suas células. Você receberá outros instrumentos que lhe possibilitarão trabalhar mais profunda e conscientemente para cocriar a sua cura física. As células têm uma consciência e, quando você e elas começarem a trabalhar como uma equipe, acontecerão processos de cura notáveis.

Quando você tiver essa relação íntima com as suas células, seu corpo inteiro vai mudar. Ele irá se comunicar com você de uma maneira completamente diferente. Você saberá do que seu corpo precisa em cada momento.

Ao trabalhar com essa nova dinâmica, você vai perceber que começará a se transformar. Você iniciará uma experiência de unidade com todos os seres vivos deste planeta. Sua cura acelera quando você é capaz de receber o amor que está disponível para você dentro dessa força vital. As células do seu corpo serão capazes de utilizar esse amor para autocura e regeneração.

Ao sair da separação, você cria uma abertura natural para receber um aspecto de sua abundância que sempre esteve à sua espera. Isso ajuda você a iniciar um processo de autocura física acelerado, que é um passo importante para reassumir seu poder e recuperar o seu ser em um nível completamente novo.

Doença

A dor é a única maneira pela qual o seu corpo pode se comunicar com você quando existe algum tipo de mal-estar ocorrendo dentro dele, seja criado a partir de uma emoção não expressa ou de um problema físico que se desenvolveu dentro das células/órgãos do seu corpo. A dor diz "Preste atenção em mim". Traga a sua atenção para essa região do seu corpo.

Geralmente, nossa reação é nos afastar da dor, tomar um analgésico, e nos livrar da dor o mais rápido possível. A ação mais eficaz, que vai realmente tirar a dor e propiciar uma cura dentro de você, é dar um passo em direção a si mesmo, ao seu corpo, e à dor. Você decide se conectar conscientemente com o seu corpo físico e sentir o que existe dentro da dor, porque onde há dor física sempre há uma dor emocional não expressa no local.

A emoção não expressa sempre fica trancada dentro das células do seu corpo. Cada vez que você não consegue lidar com os sentimentos, eles ficam trancados dentro das células do corpo. Há uma densidade que começa a se acumular nas células, de modo que um mal-estar emocional começa a se intensificar até se transformar em doença física. Portanto, quando a dor física começa, o corpo está dizendo: "Sinta-me".

Seu próximo passo é trazer a sua consciência para a dor e respirar. A respiração deve ser pela boca, e não através do nariz. A Respiração Consciente abre você mais facilmente para o sentimento. No início, a dor pode aumentar, o que é bom. É bom porque é um sinal de que você está conectado ao local. Leve a sua consciência a se aprofundar na dor e faça outra Respiração Consciente. É bom atribuir à dor uma cor ou forma; e perguntar: *qual é a sensação que ela provoca e qual a sua aparência?*

À medida que se aprofunda na dor, você pode sentir algum tipo de emoção. Alguns dos processos consistem na abertura para os sentimentos que precisam ser expressos, de modo a permitir que o seu corpo expresse esses sentimentos e possa sair da dor emocional e a dor física possa diminuir.

Você pode sentir como se precisasse mexer o corpo, o que também é bom. Não force o corpo a se mexer, nem contenha os movimentos. O movimento do corpo é automático. Ao trazer a sua consciência plena para o movimento, quando ele acontecer, você se conecta ao movimento e torna-se parte da experiência. Quanto mais você for capaz de ser integralmente parte da experiência, mais completamente a questão pode ser eliminada do seu corpo. A Respiração Consciente (pela boca) também o ajudará a se conectar à experiência e eliminar a questão emocional das células. É essencial, durante o processo, que você faça apenas a Respiração Consciente; inspire e expire pela boca. Certifique-se de que a respiração seja lenta e profunda. Uma respiração rápida vai impedir que você sinta a questão emocional totalmente, portanto desacelere a respiração e leve a sua consciência para o local enquanto respira.

O som é outra maneira de fazer com que a energia bloqueada e a questão emocional deixem as células do corpo. Enquanto você faz a Respiração Consciente, deixe que um som breve seja emitido junto com a respiração. Você não pode simplesmente criar um som; é como se um som se movesse através de você. Ao se abrir para o som com a sua consciência, você pode ter a experiência de se transformar no som. Quando isso acontece, é como se você mudasse para outro estado. Você começa a perceber um sentimento profundo dentro de si, à medida que o problema emocional nas células começa a sair do corpo. Há uma enorme liberação de energia emocional quando isso acontece. A densidade é eliminada e, então, a luz de cura pode entrar nas suas células. Agora, a sua cura pode ocorrer.

Você não precisa estar consciente do conteúdo da questão. Na verdade, é melhor que não esteja, pois desse modo a mente do ego não pode começar a interferir no seu processo. De acordo com a minha experiência, se for importante para você compreender e saber que problema está deixando o corpo, isso lhe será revelado durante o processo.

É importante compreender que todas as questões profundas que são mantidas no corpo geralmente são eliminadas em camadas. Para que a verdadeira cura aconteça, você precisa ser capaz de integrar as diferentes camadas da questão completamente dentro de si. Assim, dê-se conta de que você pode estar lidando com uma camada do problema e, posteriormente, outra camada do mesmo problema pode vir à tona e você terá de lidar com outro nível da emoção que o causa. A jornada em si é poderosa. Como ao descascar uma cebola, existem muitas camadas para serem desveladas, então seja paciente consigo mesmo e se abra para a energia de sua jornada de autocura.

Honre cada passo que você der e permita o desdobramento do seu próprio processo. O caminho de desenvolvimento de cada pessoa é diferente, e todos nós temos um processo de cura individual. Você não pode comparar a sua jornada à de qualquer outra pessoa, e é importante não deixar que a mente do ego comece a julgá-lo em seus passos. Tenha devoção por si mesmo e sinta um reconhecimento profundo pela sua ressurreição.

Ao trabalhar consigo mesmo dessa maneira, você vai perceber uma profunda sensação de liberdade — um sentimento de leveza ao soltar as camadas de emoção que você vem segurando em suas células. À medida que você trabalhar através das camadas, saiba que essas questões não irão voltar. Elas se foram, porque você optou por olhar de frente os seus sentimentos, e a questão não precisa mais ficar retida no corpo.

Eu concluí o meu processo de cura com o lúpus eritematoso sistêmico. Cheguei à conclusão de que eu tinha uma quantidade incrível de traumas não resolvidos na minha infância que eu nunca tinha tratado, e que esses traumas ainda estavam presos nas células do meu corpo.

Quando a dor começou no meu corpo, eu não prestei atenção nela. A doença emocional precisava ser expressa, mas eu não fui capaz de entender isso na época. Então, a doença física tomou conta de mim. Eu queria que alguém fizesse alguma coisa para tirar a minha dor. Não me ocorreu assumir qualquer responsabilidade ou tomar parte da minha cura física. Quando finalmente acordei e percebi que precisava trabalhar com as minhas emoções interiores, e que precisava voltar a assumir a responsabilidade pela minha própria cura, comecei a tomar o meu poder de volta. Foi então que o meu processo de cura verdadeira começou.

Essas reflexões sobre o processo de cura não eram minhas, eram pensamentos inspirados que me foram transmitidos por um aspecto do meu Self de luz. Naquela época, em que estava muito doente, eu estava fechada para qualquer coisa criativa. Eu não tinha um pensamento original na minha cabeça. A única coisa que fiz foi reconhecer a verdade que esses ensinamentos inspirados traziam para mim. Fui capaz de reconhecer a verdade, e por isso sou eternamente grata a mim mesma. Na verdade, eu não compreendi esse processo, mas sabia que tinha que confiar no que estava sendo mostrado para mim. Eu tinha uma força espiritual me empurrando para a frente na direção de mim mesma — uma parte de mim que eu perdera havia muito tempo. Por meio dessa ligação com o Espírito me foram concedidas percepções e entendimentos sobre mim e sobre o meu processo. Não senti que esses pensamentos tivessem partido realmente de mim; em retrospecto, eu sei que eles vieram de um aspecto do meu Self de luz, e de muitos ajudantes espirituais.

Precisei de toda a minha coragem para começar a sondar algumas das questões emocionais profundas do meu passado. Comecei a empreender o meu caminho através de algumas das antigas feridas que eu carregava. O processo foi terrivelmente doloroso, mas eu sentia também um alívio incrível quando me desvelava, e um novo nível do meu ser surgia para a vida.

Posso dizer agora que foi a melhor coisa que jamais me aconteceu. Causou uma reviravolta na minha vida, e me trouxe da morte para a vida. Continuo me sentindo mais viva a cada dia desde a época da minha doença. Cada dia me comprometo a avançar mais e mais, em direção à vida.

Você não precisa chegar a extremos, como eu fiz — a menos, claro, que sinta tal necessidade. Pode ser que você precise dessa experiência como eu precisei.

Os aspectos mais importantes desse processo inicial são a atenção que você dá às células do seu corpo e o despertar de uma nova relação entre você e elas. Suas células contêm a chave da sua cura, por isso é essencial reconhecer a verdade de que você é as suas células, e travar um relacionamento de unidade com elas. Isso acontece automaticamente nesse processo, um reencontro com as suas células, quando você começa a se conectar conscientemente.

Trabalhando com as Células

Seu corpo é composto de bilhões de células. Como é que você vai trabalhar com todas essas células? Na verdade, esse é um processo fácil. Vamos falar sobre como você pode começar a ter uma experiência direta de conexão com as suas células e iniciar o seu processo de cura.

Primeiro passo

Abra a sua consciência e reconheça a existência de todas as células do seu corpo. Ao fazer isso, sua energia começa automaticamente a fluir para todas as células. Você não tem que lutar com isso, apenas solte e permita que sua energia flua naturalmente para cada célula. Lembre-se: é uma lei universal, quando você concentra a atenção/consciência em alguma coisa, automaticamente a energia vai para onde você coloca a sua atenção. Então, quando você leva a sua consciência para as células, elas começam a sentir essa conexão consciente com você, começam a se abrir e reagir, começam a mudar! Você começa a mudar!

Segundo passo

Enquanto mantém essa conexão consciente com as células, você precisa simplesmente respirar, inspirando e expirando pela boca, deixando o ar sair sem controlá-lo. Basta soltá-lo. Quando você faz isso, a respiração vai automaticamente para cada célula do seu corpo físico. Os Pleiadianos chamam isso de "Respiração de Varredura", pois ela automaticamente varre todas as células do seu corpo, e nesse momento cada célula começa a responder a essa conexão consciente com você. É o mesmo que Respiração Consciente.

Lembre-se de que essa Respiração Consciente diz duas coisas: "Sim, eu estou disposto a soltar o que está retido nas minhas células" e "Sim, eu estou disposto a receber a minha luz e a minha cura através das minhas células".

Então, o que realmente está acontecendo a partir dessa Respiração Consciente de varredura é um desapego de todas as células do seu corpo. As células começam a soltar o stress, a luta e o cansaço que se acumularam dentro delas ao longo dessa vida e de outras vidas. Quando essa energia densa deixa as células, isso torna possível que um novo nível de sua luz entre nas células. A membrana da célula é capaz de transformar sua energia abrindo-se para que a célula receba a luz de cura. Isso ativa a energia da pessoa que se cura e as células começam a se regenerar.

Cada célula tem um coração central, assim, quando você se abre para a célula, o batimento cardíaco ou a pulsação começa a despertar. É como alimentar a menor das centelhas de uma luz, e a luz se expandir em uma chama. A sua célula tem de ser essa chama para que a cura ocorra. As suas células precisam de amor, e a luz do Self leva esse amor a cada célula, despertando cada uma delas e ativando a consciência individual de cada uma. Uma nova força vital entra na célula. Quando as células começam a florescer, as membranas externas das células se transformam. Tornam-se mais radiantes, e surge uma suave luz roxa na própria membrana, que você pode até sentir ou ver.

A célula recebe nutrição através dessa membrana externa, e, quando a membrana se transforma, ela é capaz de absorver mais nutrição. O espaço entre as células se expande, permitindo que cada célula sustente um aspecto mais individual do Self. Os espaços entre as células mantêm a conexão com os outros aspectos dimensionais do seu ser, os aspectos de cura do Self. Assim, quando os espaços se abrem, o princípio de autocura é naturalmente ativado dentro de você.

Às vezes você vai sentir dor física quando as áreas densas se abrirem e deixarem o corpo. Para acelerar a eliminação dessas áreas densas, simplesmente concentre a atenção no local do corpo físico onde a dor está e use a Respiração Consciente. Lembre-se de que é bom atribuir à área em que você sente dor uma cor e/ou uma forma. Em seguida, concentre a sua consciência nessa forma ou cor, e respire diretamente nela. A dor pode ficar mais intensa nesse momento, e isso significa que a questão está deixando o corpo.

Esta jornada com as células consiste em você estar disposto a se receber de uma maneira totalmente diferente — estar disposto a se abrir para esse aspecto de seu corpo. Ela é poderosa, fortalecedora e muito linda. Esse nascimento físico do seu Self é um acontecimento incrível para se testemunhar: você tomando de volta o seu poder de autocura.

Curando áreas específicas do seu corpo

Vamos dar uma olhada em como você pode curar áreas ou problemas específicos que existem em seu próprio corpo. Você pode curar um problema existente em seu corpo começando a se abrir para essa nova relação com as suas células. Depois que a relação é estabelecida, você pode então começar a trabalhar no local específico do seu corpo, em parceria com as suas células. Não importa onde o problema exista no seu corpo; pode ser um problema pequeno ou um problema grave. Pode ser em um órgão, um músculo, um osso ou um sistema do corpo. Todos os processos de cura são empreendidos da mesma maneira, em primeiro lugar procurando estabelecer uma nova relação com as células e, depois, trabalhando com a área específica do seu corpo.

Se o problema for em uma região específica, você precisa levar a sua consciência para essa região. Essa área terá certa densidade. Seu foco e intenção apenas precisam sentir o que existe nas células.

Comece a levar a sua consciência para o espaço, soltando e fazendo a Respiração Consciente dentro do espaço. Enquanto você faz isso, explore essa área com a sua mente e pergunte a si mesmo de que cor é essa região e qual a sensação que ela lhe provoca: é fluida, macia, dura, quente ou fria? Depois de ter uma noção de sua aparência, comece a levar a sua consciência para essa área e use a Respiração Consciente. Continue trabalhando no local passo a passo, momento a momento. Não tenha pressa, basta se comprometer com o processo com o seu corpo. Você pode fazer isso lentamente, um pouco de cada vez, ou se mover mais rapidamente. Depende do tipo de problema que você está enfrentando no seu corpo.

Quanto maior o problema físico que ocorre em seu corpo, maior o problema emocional que você está segurando ali. Comprometa-se a se abrir para toda a área do problema emocional, e a sentir a área densa e as mudanças que ocorrem dentro do local, enquanto você faz isso. À medida que a área começa a se abrir, você vai sentir como se um fardo tivesse sido retirado dos seus ombros e terá um novo sentimento de liberdade. Continue o processo até que o local tenha sido completamente transformado e a sua cura tenha sido concluída.

Na minha própria experiência de cura, eu tive uma sensação maravilhosa de realização quando me abri para esse processo e fui capaz de me abrir para o meu corpo de uma maneira nova. Comecei a ter uma conexão e uma relação completamente diferentes com o meu corpo físico. Havia uma intimidade entre mim e meu corpo; eu podia sentir o que ele precisava em termos de nutrição, exercícios, sono e lazer.

Também percebi que eu tinha uma noção diferente da minha conexão com a natureza e de como o meu corpo recebia as Forças da Natureza: como o meu corpo efetivamente recebia energia e nutrição da natureza. Foi maravilhoso sentir-me conectada ao meu corpo pela primeira vez na vida.

Tornei-me consciente de que meus pensamentos sobre mim eram enviados para o meu corpo e acolhidos por minhas células. Eu precisava começar a amar essa minha forma física, para continuar a me abrir para um princípio de amor próprio com as minhas células. Quando fiz isso a minha cura acelerou. Portanto, fique consciente das mensagens enviadas para o seu corpo físico e analise como você se sente com relação ao seu corpo. Isso tem um impacto direto sobre as células.

A coisa mais importante nesta jornada de autocura é saber que se trata de um processo gradativo de mudança. Você não tem que empreendê-lo de modo perfeito. Defina a sua intenção e dê um passo de cada vez. E você não precisa empreendê-lo sozinho. Você tem a ajuda e o apoio dos Reinos Espirituais e dos Pleiadianos; basta se abrir e pedir ajuda.

◇◇◇◇◇◇◇◇◇◇◇◇

A faixa 11 foi criada para que você possa restabelecer a comunicação direta com as suas células, e começar um novo relacionamento com elas e com todo o seu corpo. O trabalho que você vai fazer aqui nesta faixa será um catalisador para que você possa retornar à autocura do seu corpo físico. Nós o sustentamos com um grande amor, à medida que você passa por essa transformação celular e cura em seu corpo físico. Trabalhe com essas faixas tantas vezes quanto necessário, até a sua transformação e cura estejam completas.

Com muito amor...

Capítulo 12

Trabalho com o Casulo

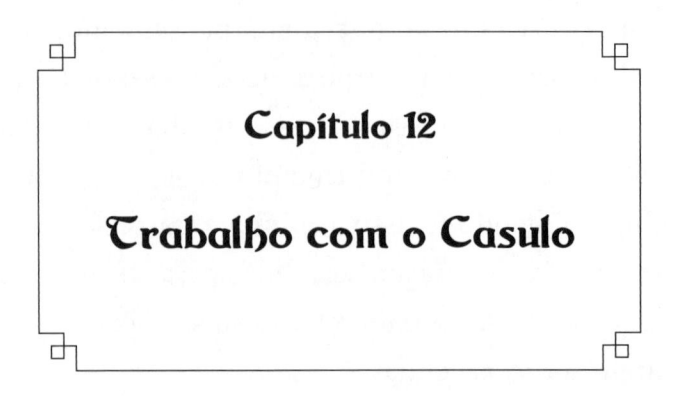

Agora você está pronto para começar seu trabalho com o Casulo. O Casulo é uma forma de energia que você vai criar para si mesmo; ela é multidimensional e será criada exclusivamente para você. Energias vão ser abertas para vocês pelos Pleiadianos, que lhe permitirão criar essa forma energética para ajudá-lo a crescer e rejuvenescer dentro dos seus corpos físico, espiritual e emocional. A melhor maneira de descrever esse Casulo é compará-lo a um retorno ao útero. Ele permite que você cresça energeticamente e ainda o leva a um profundo estado de repouso. Esse estado de repouso é diferente de qualquer outra coisa que você possa ter conhecido neste plano terrestre; é claro que é essa forma multidimensional que vai sustentá-lo, enquanto você passa por um processo de profunda metamorfose dentro de seu corpo.

Ele permite que você livre o seu sistema nervoso do stress, e isso afeta todas as células do seu corpo.

A energia do Casulo tem um ambiente maravilhoso, seguro e estimulante, que ativa um processo de autorregeneração nos níveis físico, emocional e espiritual. A formação de seu Casulo permite que um processo de regeneração celular seja ativado dentro do seu sistema e que também ocorra uma cura profunda dentro de suas células. O Casulo permite que você receba novos níveis da sua luz divina nas células e que você se alinhe com os aspectos multidimensionais do Self. Esse Casulo também poderá ajudar você com a integração de suas energias, à medida que você renasce para o despertar do Self.

Quando você está no Casulo, há uma energética que permite que as suas células fiquem num estado de descanso profundo. Quando você descansa no Casulo, o stress nas células flui para fora, e a energia de seu corpo é restaurada para um novo nível, mais equilibrado, de modo que você possa alinhar as energias naturais do Self.

A energia que é criada no Casulo está em um nível dimensional diferente daquele que você vivenciou até agora neste trabalho. Quando digo diferente, quero dizer que a energia que está presente no Casulo abre uma energética especialmente para o seu rejuvenescimento, e sua experiência será profunda e pode ser diferente das suas experiências anteriores até este ponto. A energia que forma o seu Casulo tem um aspecto exclusivo; trata-se de uma energia única para o seu nascimento e integração. Seu sistema precisa disso, especialmente com as energias de despertar que você absorveu em suas jornadas no Portal das Estrelas e na Formação. Essa energia é especialmente útil se você estiver empreendendo um processo de cura física e emocional. O Casulo vai acelerar o seu processo de cura devido ao estado de repouso profundo que ele proporciona.

Seu Casulo está aqui para ajudá-lo a integrar ainda mais plenamente as transformações que estão ocorrendo dentro de você, assim os alinhamentos com o seu Self poderão ser integrados com mais facilidade e você poderá seguir o fluxo natural do seu Self em muitos outros níveis.

A energia do Casulo mantém você constantemente dentro desse lugar de descanso energético e, uma vez ativada, irá ajudá-lo no curso de sua transformação. O Casulo é um outro instrumento para você, que traz mais integrações com esses novos estados de despertar. Mas, o mais importante, o Casulo cerca você energeticamente de modo contínuo e diário, enquanto você se move pelo mundo, e o sustenta num espaço de profundo repouso.

O Casulo é também um lugar de cura para as suas crianças interiores, porque elas se sentem protegidas dentro desse espaço. Há uma sensação de segurança para elas, para que possam realmente descansar. Para aqueles que tiveram uma infância traumática, o Casulo é um porto seguro, de modo que as crianças interiores que estão muito amedrontadas possam soltar alguns desses medos e começar a ter o descanso de que tanto precisam. A cura para elas pode começar, assim algumas de suas feridas mais profundas têm a chance de se curar, criando um processo de ressurreição para essas crianças dentro desse espaço.

Há muitas vantagens em se permitir que a sua criança interior o ajude na construção do Casulo. Uma criança interior traz uma energia para o Casulo que você pode utilizar — uma energia que você não precisa necessariamente acessar. Essas crianças interiores têm uma essência de inocência e doçura em seus corações; essa energia fica entretecida em seu Casulo. É por isso que é uma vantagem para você, e muito útil, permitir que sua criança interior, ou crianças interiores, façam parte da experiência de construção do seu Casulo. Suas energias são puras e poderosas, e trazem criatividade ao projeto de construção do seu Casulo e, mais importante, trazem a energia da alegria.

Construir o seu casulo pode ser um esforço conjunto e uma maneira maravilhosa de se conectar com a sua criança. Às vezes é difícil, em nossa vida ocupada, encontrar tempo para construir um relacionamento com a criança interior, e é muito fácil esquecer os aspectos da nossa criança. No Casulo, você e sua criança interior compartilham a experiência, e isso pode curar alguns dos seus problemas de separação. Essa conexão com a criança em sua vida é muito importante e pode lhe trazer inúmeras dádivas. Você precisa dessa conexão com sua criança interior para ser completo dentro de si mesmo, e a sua criança tem alguns aspectos importantes dos quais você precisa para sua própria cura.

Existem várias jornadas individuais para você empreender dentro do Casulo. A cada vez o Casulo se expandirá em algum nível e você passará por uma experiência e conexão mais profundas com ele. Em cada jornada você vivenciará um nascimento dentro de si mesmo. O processo de construção propriamente dito do seu Casulo pode ser uma experiência profunda e tranquila; apenas deixe-se levar pelo processo criativo energético pleno e permita que um fluxo ilimitado o leve, à medida que você cria.

Dê-se conta de que você pode ver, perceber ou sentir o Casulo. Não importa como você, pessoalmente, o vivencie. Ela pode variar de tamanho: pode ser enorme ou, às vezes, muito pequeno. Esse é o seu espaço pessoal energético, que vai se expandir em todos os tipos de formas. Ele é multidimensional na forma e ilimitado do ponto de vista energético. Como é uma estrutura de quarta, quinta e sexta dimensão, você precisa se lembrar de que qualquer experiência é possível no Casulo. A mente do ego não vai entender ou ser capaz de seguir a lógica desse espaço e das experiências que você tiver. Então, você precisa realmente soltar e se permitir avançar na aventura de muitas experiências, à medida que elas se desenvolvem em seu Casulo. Você está sendo solicitado a soltar e não deixar que a mente do ego comece a avaliar o que está fazendo ou como você está fazendo. Solte e se permita desfrutar desse espaço livremente. Use a sua respiração ao construir o seu Casulo. Traga sua consciência para partes do Casulo, enquanto ele começa a se formar, e respire, à medida que constrói a estrutura; é como respirar força vital para dentro do Casulo.

Conectando-se ao corpo

Você precisa estar conectado ao seu corpo físico enquanto constrói o seu Casulo, para ficar mais ligado às experiências em curso dentro desse Casulo, e travar um relacionamento mais profundo com o Casulo e com a energia que está dentro dele. Leve as mãos para a região do peito, sinta as mãos de encontro ao peito, e faça a Respiração Consciente.

Mantenha o foco em seu corpo, enquanto está no Casulo, energeticamente ligado ao seu coração; então você será capaz de entrar em contato com a energia do Casulo e utilizá-la. Respire e solte, permitindo-se descansar dentro do espaço do seu Casulo.

Durante o seu trabalho dentro do Casulo, é importante que você não tente visualizar nada, nem tente fazer nada acontecer com a mente. Isso impedirá a sua verdadeira experiência. Vai afastá-lo do que está realmente acontecendo. A mente do ego é incapaz de trabalhar dentro do espaço energético do Casulo. Ela não pode funcionar ali; então, quando tenta visualizar uma experiência, você sai da energia do Casulo. Não deixe que a mente controle esse processo. Quando uma experiência simplesmente vier de maneira natural, preste atenção nela e respire. A energia da experiência vai se expandir. Você pode confiar em cada etapa das suas experiências ali; você pode confiar em sua respiração e simplesmente permitir que o Casulo seja construído e se forme.

É importante estar em cada momento e utilizar a Respiração Consciente em cada experiência. Mas você será convidado a soltar e se permitir receber plenamente durante esse processo do Casulo, e permitir-se receber em muitos níveis novos. Tudo dentro do espaço do Casulo é para você utilizar para si mesmo; trata-se de um verdadeiro espaço apenas para você receber, e, como você está lidando com diversos espaços dimensionais, existem possibilidades ilimitadas dentro do Casulo para que você possa receber. Muitos tipos de experiência podem ocorrer a você ali. Não precisa fazer sentido no nível tridimensional; lembre-se de que você saiu desse espaço tridimensional.

Como ativar e construir seu Casulo

Você vai precisar de uma vela para esse processo. A vela pode ser de qualquer cor e precisa ter pelo menos 18 centímetros de altura. Evite as velas perfumadas, porque, quando você está em outros espaços dimensionais, seus sentidos ficam mais aguçados e o cheiro possivelmente vai interferir em algumas das suas experiências. Sempre use a mesma vela para o Casulo, e mantenha essa vela somente para o seu trabalho no Casulo.

A iluminação da sua vela é significativa. É um símbolo da abertura para a energia do seu Casulo, com a luz pura da chama e sua fluidez. Esses aspectos da chama refletem algumas das energias do seu Casulo, de modo que sempre que acender a vela, o seu Casulo irá responder automaticamente. A luz da vela se expandirá através do Casulo, aumentando em tamanho e energia, e a energia que ancora você no Casulo começa a nascer através das células do seu corpo, especialmente o coração. A energia da vela ajuda a ativar um processo de alinhamento por meio das células do seu coração, de modo que o coração se abre e flui com o Casulo. A vela transmite uma energia pura. A luz da chama mantém a fluidez, a pureza, e essas energias desempenham seu papel na construção do Casulo.

Primeiro passo

Sente-se no chão com a vela na sua frente. Certifique-se de que você tem bastante espaço ao seu redor, de modo que possa abrir os braços para os lados sem tocar em nada nem em ninguém. Antes de acender a vela, faça algumas respirações e se abra para uma intenção para si mesmo. Fique conscientemente aberto para receber o que precisa dar para si mesmo.

Acenda a vela.

Comece com as palmas das mãos juntas sobre o coração. (Veja o Diagrama H.) Traga toda a sua atenção para as mãos, e faça uma respiração, varrendo as células do seu corpo. Então, leve a plena atenção/consciência de volta para as suas mãos. Sinta a energia começar a se formar entre suas mãos

Diagrama II

enquanto leva a sua consciência até elas. Uma energia começará a ser construída ali; ela será construída entre suas mãos e através do seu centro. Quando você levar a sua consciência para essa energia em construção, ela começará a se expandir. Lembre-se: a respiração irá abrir a energia ainda mais, à medida que você leva a sua consciência até esse lugar.

Aos poucos você começará a sentir um núcleo concentrado de luz começando a se formar dentro de você, dentro do seu centro, e entre as mãos.

Para ampliar esse núcleo, leve o seu foco/atenção para onde as mãos se encontram e respire. Quando fizer isso, você vai tomar consciência de uma linha de energia mais profunda ancorando ainda mais completamente através de você. Esse é o início do núcleo. Toda vez que você levar sua energia até lá, o núcleo irá se expandir de alguma forma. Você pode ver ou sentir isso.

Certifique-se de estar relaxado. Não há por que ter pressa, você pode seguir no seu próprio ritmo. Essa é a sua jornada — o seu momento. Reserve um tempo somente para ficar com você mesmo e com a sua experiência.

Quando estiver pronto, leve a sua atenção para a chama da vela; observe a chama e respire. A energia da chama começará a se abrir para você. Fique com a pureza da chama, e com a fluidez da chama. Abra-se conscientemente para a luz que vem do fogo, e também para receber essa luz. Você vai sentir essa energia da chama entrando em seu núcleo e se abrindo para a energia que se avoluma entre as suas mãos.

Agora leve o seu foco para o local onde as palmas das mãos estão sobre o seu coração e respire. O núcleo vai se expandir novamente. Você pode sentir a luz da vela alimentando o seu núcleo, construindo e ampliando o seu núcleo.

Você precisa repetir todo esse processo de acúmulo de energia do seu núcleo e conectá-lo com a chama quantas vezes forem necessárias. Chegará um ponto em que a energia que está se avolumando entre as suas mãos vai precisar se mover. Quando você sentir esse acúmulo de pressão energética, você começará a mover as mãos para fora e para cada lado, esticando os braços ao máximo. (Veja o Diagrama I.)

Diagrama I

Segundo passo

Comece a separar lentamente as mãos, movendo-as para os lados. Ao fazer isso, o acúmulo de energia luminosa das suas mãos e do seu núcleo começa a fluir para fora com o movimento. É nesse ponto que seu Casulo começa a nascer. Essa energia da luz vai se expandir à sua própria maneira, ao criar a forma inicial do seu Casulo energético. Ela terá uma vida própria — seu próprio padrão e forma exclusivos. Apenas deixe a forma se ampliar e criar-se a si mesma. Testemunhe este desdobramento e respire. Deixe ir e permita-se. Esse é o estágio inicial do nascimento do seu Casulo a partir da luz do seu núcleo.

Terceiro passo

Agora eleve as mãos devagar lateralmente até que elas se juntem acima da cabeça. Com as palmas para cima, eleve os braços até que as palmas se encontrem sobre a cabeça. (Veja o Diagrama J.) Quando fizer isso, vai sentir a energia da luz do núcleo começando a se abrir para outro nível energético, criando as laterais e a parte superior do seu Casulo. Quando você fizer esse movimento, a luz vai começar a se expandir para cima e para fora, abrindo a energia do seu Casulo ainda mais completamente, que é o princípio da forma total do seu Casulo. Leve sua consciência para as mãos acima da cabeça, sinta a energia, respire e deixe a energia se expandir.

Diagrama J

Quarto passo

Quando você se conectar com a energia das suas mãos, enquanto estão acima da cabeça, abra-se para a sensação da energia ao seu redor, e apenas fique com essa sensação. Quando você sentir que é hora, traga as mãos diretamente para baixo, como se estivesse se movendo para baixo através do núcleo do seu ser e de volta à posição central do coração. (Veja o Diagrama K.)

Sinta a energia, enquanto faz isso. Ao mover as mãos ao longo do núcleo, haverá um profundo alinhamento ocorrendo dentro de você com relação ao Casulo e, quando você levar a consciência para o seu núcleo central, haverá uma luz ainda mais expandida surgindo através do seu núcleo, expandindo-se e se fortalecendo, e fluindo para baixo através de seu centro.

Quando você levar a sua consciência de volta para as mãos unidas, sinta como o núcleo se expande através do centro do corpo, causando uma expansão ou mudança dentro do próprio Casulo. O Casulo irá se expandir, crescendo em profundidade e transformando-se do centro para fora. A luz do seu núcleo se tornará mais radiante, à medida que estiver pulsando para fora, preenchendo os lados e a Base do seu Casulo. Essa pode ser uma experiência visual ou sensorial muito

Diagrama K

forte ou pode ser sutil; isso não faz diferença, no que diz respeito à eficácia da construção do seu Casulo. Deixe que ele adquira vida própria e se desenvolva do modo como precisa. Se a sua experiência for sutil, leve sua consciência para a sutileza, respire-a, e abra-se para essas energias sutis.

É importante, enquanto conclui o seu primeiro ciclo desse processo, que você descanse na energia da forma do Casulo que já nasceu. Descanse em seu coração, sentindo a conexão com o núcleo do Casulo, abrindo-se para a luz da vela e para a forma inicial do seu Casulo. É importante também que você se conecte profundamente com o núcleo do seu Casulo enquanto descansa. Quando se sentir pronto para continuar, repita o processo e solte, permitindo que o seu Casulo nasça em outro nível. Saiba que o seu Casulo tem vida própria. Você não pode controlar o modo como ele se forma; ele lhe traz exatamente o que você precisa para seu descanso e rejuvenescimento.

Cada vez que você repetir um ciclo desse movimento — iniciando no coração e voltando para o coração —, seu Casulo irá se expandir em muitos níveis, e, à medida que ele se expande, você também irá se expandir e mudar. Enquanto ele se desenvolve e se expande, você precisa trazer a luz da chama da vela para o Casulo de modo ainda mais completo. A chama tem um grande papel na transformação do Casulo, e, cada vez que você se abre às chamas, outro aspecto da fluidez da energia da chama entrelaça-se com o Casulo. Essa tessitura transforma a energia do seu Casulo, construindo e ampliando sua forma de luz. Saiba que essa forma luminosa faz parte das camadas multidimensionais que vão criar o seu Casulo de cura.

Só trabalhe com a luz da chama quando você se sentir atraído pela chama; você não tem que fazer isso o tempo todo. Saiba que, quando suas mãos voltam para o seu coração, você pode descansar; a posição do coração é o seu lugar de descanso. Basta ficar em seu núcleo, até sentir que é hora de construir mais espaço no seu Casulo. Cabe a você decidir quando vai prosseguir com a construção do Casulo.

Você perceberá uma sensação de completude, no final de cada jornada do Casulo. É nesse momento que você deve interromper a construção do Casulo, sabendo que ele ainda não está terminado, mas completo por ora. As energias do Casulo já se expandiram o suficiente para o seu próximo passo. Não se sobrecarregue tentando construir o seu Casulo de uma só vez. Quando você sentir que seu Casulo está completo por enquanto, é hora de descansar dentro dele. Deite-se ou sente-se nesse espaço, descansando profundamente, Soltando e permitindo que todos os níveis do seu ser absorvam as energias que estão dentro do seu Casulo.

Lembre-se de usar a sua respiração através das suas células enquanto descansa nesse espaço multidimensional. O stress está apto a deixar as células e elas podem se regenerar. Uma profunda metamorfose começará a ocorrer dentro de seu campo energético e no interior das células do seu corpo. Solte e conceda a si mesmo esse descanso profundo enquanto está dentro do espaço do Casulo. (Nota: Sempre descanse no Casulo depois que ele estiver completo ao final de cada jornada.)

Você pode voltar para a construção do seu Casulo constantemente. Cada vez que fizer isso, ele vai se transformar em outro nível. Trata-se de um instrumento de cura para você e, mais importante, um lugar de repouso profundo que propicia um profundo processo de rejuvenescimento das suas células.

Agora é hora de ouvir a faixa canalizada.

Esta faixa 12 foi concebida energeticamente pelos Pleiadianos para auxiliá-lo no seu alinhamento com o seu Casulo, que é exclusivamente seu.

Ouça a faixa 12. Solte e permita que o seu próprio processo se inicie dentro do Casulo.

Lembre-se: você precisa convidar a sua criança interior para acompanhá-lo nesta jornada. As crianças interiores trazem muita criatividade ao seu Casulo, assim como uma essência de inocência.

Você está sendo sustentado em amor enquanto permite que esse processo de regeneração ocorra em todos os níveis do seu ser. Nós testemunhamos e comemoramos com você enquanto você inicia sua jornada de construção do seu Casulo!

Conclusão

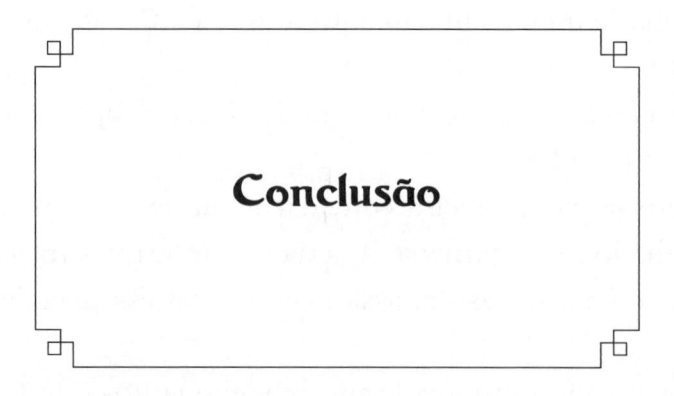

Bênçãos para todos os que leram este livro e assumiram seus lugares dentro da Consciência Universal por meio de cada Iniciação

Neste momento, existe uma onda enorme de frequências de luz varrendo seu planeta. Os Pleiadianos estão expandindo o trabalho a todos vocês, e você está desempenhando o seu papel. Eles me disseram que essa energia iria passar por uma tremenda expansão a partir do início do ano de 2009, o ano em que a "Profecia de Autocura" foi ativada em nosso planeta. Essa energia está acumulando forças, como uma enorme onda quebrando e reverberando em todo o mundo. Cada um de vocês está participando desse acúmulo de energia; cada um de vocês tem um papel único a desempenhar ao passar por suas Iniciações com este livro. Você está ancorando a sua luz nas células do seu corpo,

Conclusão

transmitindo automaticamente sua energia de luz sobre o planeta, assumindo o seu lugar. Eu o respeito por fazer isso.

É como se eu estivesse sendo alinhada energeticamente em um novo nível, para atuar de uma maneira completamente nova no mundo, trabalhando com as Frequências e com amplas transmissões de energia, para grandes grupos de pessoas. Compartilho isso com você, porque você é uma parte disso: sua energia. Seu aspecto divino único é uma parte da onda energética que está sustentando o nosso planeta agora. A energia com que estamos trabalhando neste livro é uma energia forte e profunda. Ela é como um novo nível de amor se tornando acessível para a humanidade e um novo trabalho de ondas de luz sendo ancorado no planeta.

O acaso não existe. Cada um de vocês veio tomar o seu lugar abrindo-se para as energias iniciatórias deste livro, e cada um de vocês está sendo sustentado e respeitado por abrir-se para essas Iniciações. Esperava-se que você estivesse aqui neste momento fazendo esse trabalho, e as Iniciações nos reúnem a todos, como parte do coletivo. É parte da Profecia de Autocura: o alinhamento com a Unidade, para que possamos começar a experimentar diretamente o nosso lugar na Unidade aqui neste plano terrestre. Nós reivindicamos o nosso lugar e começamos a fluir juntos em uma consciência e, juntos, criamos uma força de luz surpreendente.

Nós todos fizemos um pré-acordo para estar aqui neste momento. Reunimo-nos neste nível energético. Sim, nós podemos nos encontrar no plano físico, mas nos encontramos no nível energético — os planos energéticos com a essência de nossas almas e nossos próprios Selfs de luz.

Os Pleiadianos querem que você entenda a importância de assumir o seu lugar neste momento, porque o mais importante é a sua ação consciente, com cada ação que você empreende a cada momento. Sua ação consciente diz: "Sim, eu escolhi vir para cá. Eu vim para assumir o meu lugar. Vim aqui renascer para a minha plenitude". Trata-se de avançar de maneira consciente, neste momento, em vez de apenas vagar pela vida — ação consciente e pensamento consciente, dizendo: "Sim, eu estou aqui. Reivindico o meu lugar aqui. Assumo o meu lugar. Recebo a mim, e à minha Iniciação, agora. Reivindico cada célula deste corpo. Reivindico minha luz e permito que cada uma de minhas células ancore a minha luz. Eu estou vivo".

A hora de agirmos nesse sentido é agora. Estar vivo é permitir e abrir-se para essa conexão de luz com o Self dentro das células, reconhecendo cada célula do seu corpo e, conscientemente, dizendo *sim* a cada respiração em cada célula. É não deixar o medo do ego detê-lo de maneira alguma, mas viver através do coração e na força da conexão com o seu Coração Sagrado.

À medida que você vive essa ação consciente de receber sua própria força vital e ancorá-la através das células de seu corpo, você se alinha com a sua força de vida pura e com o fluxo de sua luz.

Eu volto à minha experiência de morte em Banneux, no momento em que tentava voltar ao meu corpo, quando ele estava frio. Meu corpo físico morreu. Eu ainda posso voltar para a terrível sensação de choque daquele momento. Não apenas de choque — de desespero. Eu ainda tinha muito a fazer aqui neste plano terrestre. Minha vida tinha acabado, e meu corpo estava morto. Mãe Maria veio até mim naquele momento e disse que eu tinha concluído tudo o que dissera que iria fazer aqui nesta vida. Então, era hora de eu ir embora. Eu disse a ela na ocasião: "Não, isso não está certo, eu tenho muita coisa para fazer aqui e tenho que voltar". Ela me disse que eu tinha que me abrir para um novo compromisso nesta vida e criar uma nova matriz. Vim a perceber que foi nessa época que fui realmente capaz de compreender a importância de estar aqui, de viver esta vida, e de trazer outro nível do meu ser para cá. Eu assumi outro compromisso, na verdade, outro compromisso comigo mesma nessa época, e que consistia em viver mais e ficar ainda mais viva. E eu fui capaz de voltar ao meu corpo. Tudo dentro de mim começou a acender. Uma luz pura passou pelas minhas células e meu corpo voltou à vida.

Essa experiência exigiu de mim um ano inteiro para ser completamente integrada. Mantive-me afastada da experiência por um longo tempo. Realmente não fui ao encontro da experiência; só continuei vivendo e precisei integrar. Eu não parti para a experiência, a fim de explorá-la em profundidade, porque era demais para eu digerir, mas tinha consciência de que seria importante para mim voltar a ela quando fosse capaz. Quando finalmente me alinhei de volta com esse momento, revivi aquelas emoções profundas ligadas à necessidade de viver e à importância de estar aqui no planeta agora. Eu precisava da experiência de realmente saber o quão importante é estar neste plano terrestre, e sou grata por ter tido a oportunidade e por ter recebido a graça de voltar para continuar a minha vida. Eu estou muito mais ancorada e ainda mais firme no compromisso de viver aqui de uma maneira nova e consciente e de valorizar o fato de estar viva.

Seu ato consciente de dizer *sim* a estar aqui é essencial. Ser capturado pela ilusão tridimensional, na luta, no medo, no cansaço, no "É tão difícil, eu só quero ser feliz" — tudo isso é o discurso do ego tridimensional. A ilusão o impede de se alinhar com você. Basta começar a recusar essas mensagens vindas do ego. Lembre-se: você escolhe o amor ou o medo a cada momento. Abra-se para o amor e você se abre para a conexão com o seu coração; abra-se para o medo e você se abre para a conexão com a mente do ego.

É uma grande decisão estar aqui como ser humano vivendo neste plano terrestre agora. É uma decisão enorme e um grande privilégio ter permissão para estar aqui neste momento. É importante de fato lembrar que você escolheu estar aqui: *todos os dias você opta por estar aqui.*

Você está sendo solicitado agora a assumir um jeito diferente e a ficar consciente de que está aqui. Sim, há partes tridimensionais que temos que atravessar, mas temos grandeza em nós mesmos! Nós podemos viver através do nosso coração, e permitir que mais de nós mesmos estejamos aqui de uma nova forma — dispostos a viver neste mundo, *conscientemente*, conscientemente alinhados com a nossa grandeza.

É hora de afastar-se da agonia da terceira dimensão. O fato é que estamos desempenhando um papel aqui, mas podemos avançar até um estado magnífico de fluidez, permitindo que a nossa luz nos guie ao longo da nossa vida. Podemos parar de sentir tanto medo. Cada um de vocês chegou até este livro para renascer de uma nova maneira. Você respondeu ao chamado do destino. Esse chamado não é um apelo tridimensional. É um chamado do Espírito, a Verdade, o alinhamento da sua luz que o trouxe até este momento. É o seu verdadeiro Espírito, o seu verdadeiro Self, que está nascendo através de você, e todo o Universo o está testemunhando nesse nascimento.

Eu sustento o espaço para você nascer conscientemente — para respirar e deixar os sentimentos virem à tona.

Os sentimentos podem estar aí, mas não deixe que o medo tome conta de você e o aprisione. Reconheça a ilusão, respire, entre em contato com o seu coração e continue dando passos à frente para se abrir para o amor e a conexão com o Self. Esse é o *seu* lugar que você está assumindo no mundo. Você faz a diferença, o seu ponto de luz estando conscientemente ativo no mundo. Conscientemente aberto para essa verdade, afirme essa verdade sobre si mesmo e ancore-a e ative-a em um nível energético dentro do Universo, sobre este planeta. Então, sua energia pode ser utilizada da maneira que sempre deveria ter sido. Não minimize o seu lugar aqui. Não minimize sua magnificência e a ancoragem da sua energia. Ninguém é menos do que ninguém. Cada um de nós ocupa um lugar energético igual e, quando estamos nesse espaço, podemos sustentar um aspecto de um fluxo energético que faz a diferença.

Sua mente do ego não pode fazer diferença para a sua magnificência. Ela não pode afetá-la em nada porque você é inteiro e completo em sua energia. A diferença é decidir se você vai se fechar para si mesmo ou não. Seu brilho nunca desaparece, ele nunca deixa de existir em sua forma completa.

As perguntas são: *até que ponto você está disposto a se aceitar completamente nessa forma de luz? E até que ponto você está disposto a aceitar e utilizar essa forma incrível de luz na sua vida diária? Você está disposto a utilizar o suporte energético que está aqui para você vindo do Universo, das Forças Espirituais, das energias pleiadianas, e todas as energias, apoiando-nos para que sejamos mestres de nós mesmos em um novo nível, em um realinhamento com o Self?*

Você não tem que ter medo quando se voltar para o Self. Você entende que esta jornada aqui, neste plano terrestre, é um retorno para o Self, para o alinhamento com a luz do Self, e para a sua singularidade divina. Não existe ninguém mais com a sua energia, a não ser você. Tudo o que você tem a fazer é começar a ativar o seu lugar por meio de um desejo consciente.

Conscientemente reivindique o seu lugar e o seu pré-contrato para estar aqui neste plano terreno hoje. Reconheça o lugar que você está assumindo e o compromisso. Ative a sua reivindicação com as palavras *Eu Sou*. Você está reivindicando o seu Self agora mesmo. E lembre-se das palavras *Seja Feita a Tua Vontade*. Você está falando com o aspecto de luz de si mesmo, dizendo: "Eu vou seguir a tua vontade, a vontade da luz do Self". Você está aqui para reivindicar o seu direito natural de nascimento do Self.

Que assim seja.

Eu sustento o espaço e a plataforma para cada um de vocês dar nascimento a si mesmo. Eu honro cada um de vocês por se dispor a cumprir o seu pré-contrato. Esteja você ciente ou não do que o trouxe aqui, o que importa é que você está aqui. Navegou até aqui. Você não está sozinho nesta gloriosa jornada; você está sendo sustentado no amor a cada passo. Lembre-se de que estamos aqui.

Siga em frente, conscientemente, em direção à sua liberdade.

Com amor e bênçãos,
Os Anjos, os Seres de Luz, os Mestres e os Pleiadianos

Apêndice

Sobre o Trabalho

Parece-me importante que eu mencione e descreva os sistemas de trabalho que foram canalizados por meu intermédio há muito tempo e que são atualmente oferecidos em muitas regiões do mundo atualmente.

O *Amanae* foi o primeiro trabalho canalizado que eu ancorei no mundo. O Amanae é um processo multidimensional muito prático de trabalho corporal que desfaz os bloqueios emocionais no corpo. O Amanae abre um acesso direto para você se conectar com as suas emoções que ficam estagnadas em seu corpo físico. Quando você *sente* conscientemente essa emoção, ela pode deixar o seu corpo e a cura pode ocorrer. Isso conduz o corpo para a cura em muitos níveis diferentes, tanto no corpo físico quanto no emocional. E ocorre uma profunda transformação espiritual quando a emoção sai do corpo, e a luz do Self é ancorada em suas células.

As *Frequências de Brilho* foram canalizadas por meu intermédio e nasceram no momento exato em que nasceu o Amanae. Na época em que esses dois sistemas de trabalho foram ancorados através de mim, me foi dito que os seres humanos não estavam prontos para as Frequências de Brilho, por isso elas não deveriam ser transmitidas para o plano terreno naquele momento. Treze anos depois, em 1999, disseram-me para começar a ensinar e iniciar as pessoas nesse trabalho, e para chamá-lo de Frequências de Brilho. Desde essa época tenho iniciado praticantes e professores neste trabalho, que tem sido o meu principal trabalho no plano terrestre.

O que é esse trabalho?

Frequências de Brilho é um trabalho de quarta, quinta e sexta dimensão, que gera uma poderosa energia de cura multidimensional muito acima e além do que este plano terrestre tridimensional pode proporcionar. Como essa energia pertence a níveis dimensionais superiores, ela abre a cura física e emocional avançada e permite que esta aconteça com cada pessoa. Uma função importante desse trabalho é também propiciar um despertar espiritual acelerado por meio de Iniciações de Luz. Essas Iniciações poderosas são projetadas para trabalhar exclusivamente com cada pessoa em qualquer nível que ela esteja no momento, provocando experiências pessoais diretas e profundas dos Reinos Espirituais e dos Pleiadianos. Esse trabalho alinha você com novos aspectos do seu Self de luz e ancora essa luz nas células do seu corpo para o seu despertar.

Os Pleiadianos criaram uma série de Iniciações de Luz projetadas para despertar o ser humano de modo que ele se alinhe com o seu Self Espiritual. Eles utilizam formas da Geometria Sagrada em algumas Iniciações e, em outras, de nível superior, trabalham com você no interior de espaços do Portal das Estrelas.

Muitas das curas associadas às Frequências de Brilho têm sido consideradas milagrosas, mas, na verdade, são simplesmente curas que se tornam possíveis quando associadas com os espaços de quarta, quinta e sexta dimensão. Essas energias se conectam com os níveis mais elevados do Self da pessoa que recebe o trabalho, permitindo a cura profunda. Esse é um trabalho de cura avançado, que pode acelerar os processos de cura num nível físico e emocional, e levar essa pessoa ao caminho espiritual e um despertar acelerado.

Os Pleiadianos são verdadeiramente surpreendentes na forma como canalizaram por meu intermédio esses diferentes processos, que são muito dinâmicos e poderosos. E ainda mais notável é que todos esses processos prescindem da mente do ego, o que é extremamente útil para nós, seres humanos.

Como aprender o trabalho

O primeiro estágio das Frequências de Brilho consiste num processo de 13 a 14 dias de treinamento e Iniciação. Essas Iniciações baseiam-se no alinhamento com níveis mais elevados dos aspectos do Self, por meio de uma série de realinhamentos com a utilização de formas geométricas sagradas, que ativam e abrem outros espaços dimensionais, e, então, trabalhando dentro desses espaços, com a ajuda das Forças Pleiadianas e Espirituais. Os Pleiadianos e as Energias Espirituais auxiliam nas Iniciações ao longo do treinamento e você começa a desenvolver a sua própria relação pessoal com os Pleiadianos e a aprofundar a sua conexão e percepção consciente com os Reinos Espirituais. À medida que faz isso, você se expande a cada novo alinhamento consigo mesmo. Essa fase do processo o prepara para se tornar um profissional das Frequências de Brilho. Essa série de Iniciações é extremamente poderosa e altamente transformadora. Embora muitas pessoas façam esse treinamento para se tornar profissionais, outros o fazem apenas pelas Iniciações propriamente ditas.

Eu continuo a canalizar novos níveis de trabalho, e agora existem 16 níveis disponíveis. Tendo trabalhado extensivamente com grupos de pessoas durante os últimos 15 anos, tenho visto as profundas mudanças que ocorrem dentro de cada uma delas, com a ajuda desses processos de Iniciação. Esse trabalho tem evoluído e se expandido, à medida que fui capaz de expandi-lo dentro de mim.

Além de iniciar os alunos e professores nos processos das Frequências de Brilho, estou trabalhando com grupos maiores em eventos chamados Transmissões e Seminários Pleiadianos.

O que são Transmissões?

As Transmissões são sessões energéticas canalizadas pelos Pleiadianos. Elas são realizadas em locais diferentes em todo o mundo e abertas ao público em geral. Geralmente duram uma hora e meia. As Transmissões começam com um diálogo canalizado vindo dos Pleiadianos; cada uma delas tende a trabalhar com um tema e elas são completamente diferentes umas das outras. Essas Transmissões produzem cura e transformações energéticas, iniciando você em um nível mais elevado da sua luz. São altamente transformadoras e permitem que você dê um passo rumo ao seu Self. Trabalham com a transmissão de luz de cura para grandes grupos de pessoas, de modo que todos dentro do local recebem essas energias de luz. Essas Transmissões de luz abrem Iniciações para essas pessoas —

Iniciações do Self por meio das células. Isso pode possibilitar a cura através do corpo físico e do corpo emocional, e criar novos níveis de despertar espiritual em cada indivíduo.

O que são os Seminários Pleiadianos?

O último trabalho que os Pleiadianos estão abrindo para nós aqui é um seminário de três dias, uma Iniciação aberta ao público em geral. Esses eventos foram abertos neste momento para que as pessoas possam trabalhar conosco e receber outros níveis da Profecia de Autocura. Trata-se de um poderoso processo de Iniciação com os Pleiadianos, no qual trabalha-se em diferentes espaços dimensionais, aprende-se a navegar nessas dimensões diferentes e a trabalhar dentro da câmara do Portal das Estrelas com a ajuda do Pleiadianos. Esse evento coloca você em contato direto com os Pleiadianos, possibilitando um relacionamento pessoal com eles durante três dias para, em seguida, continuar a trabalhar com eles ao longo da sua vida. Você estará trabalhando dentro dos espaços de quarta, quinta e sexta dimensão, enquanto eu canalizo o material e as Energias Pleiadianas. Haverá informações e diálogos canalizados durante todo o evento. Haverá diversas oportunidades para você fazer perguntas diretamente aos Pleiadianos durante esse período.

A reunião em grupos para esse trabalho é uma experiência muito poderosa. Quanto maior o número de pessoas, mais acelerado o despertar que ocorre em cada uma delas.

Haverá um vórtice de cristal ativado com o qual você poderá trabalhar, e que permitirá que os Pleiadianos possam trabalhar e se alinhar com você de maneira mais completa. O vórtice também permitirá que você se alinhe mais facilmente com os diferentes espaços dimensionais que se abrirão. Uma das minhas funções é marcar os espaços dimensionais dentro do vórtice, para que você se inicie neles e comece a navegar sozinho.

Quaisquer energias dos Reinos Espirituais podem vir e ajudar nesses eventos, graças às energias sutis que são geradas para as Iniciações. Isso possibilita que os Anjos, os Seres de Luz e os Mestres possam entrar no espaço de trabalho, para ajudar os presentes em suas transformações.

Saiba que um lugar será sustentado para cada um de vocês que optar por vir a esse evento, visando dar o seu próximo passo. Estou aguardando por todos vocês que foram chamados a fazer parte desta experiência.

Para obter mais informações sobre o trabalho, sobre os profissionais da sua cidade, os calendários com as datas desses eventos e outras informações, consulte o site:

www.frequenciasdebrilho.com.br

Para obter mais informações sobre os últimos seminários e cursos de Christine Day, consulte:

www.christinedayonline.com

◇◇◇◇◇◇◇◇◇◇◇◇

Disponíveis para você
Conjunto de 12 CDs em inglês.

São energias expandidas para cada um dos 12 capítulos pleiadianos deste livro. Eles são planejados para levá-lo mais profundamente em seu processo de Iniciação. É importante que você trabalhe primeiro com as faixas do site indicadas neste livro antes de começar com as séries avançadas. Os CDs em inglês podem ser adquiridos por meio do site:

www.frequenciesofbrilliance.com/store

e

www.christinedayonline.com/store